つながらない練習

Ando Mifuyu
安藤美冬

PHP研究所

私たちは今、
つながりすぎだ。

心をすり減らす
ＳＮＳや大量の情報、
そして人間関係。

その中のどれくらいが、
本当に必要だろう？

「つながろう」という
メッセージがあふれる今こそ、
私はあなたに
「つながらない」提案をしたい。

決して、「つながらない」ことが
本書の目的ではない。

本当に大切なものと、
あなたがつながる。

それがゴールだ。

はじめに

現代人を悩ます「スマホ依存」「つながり疲れ」

　2010年代に起きた革命のひとつは、間違いなく「スマホ革命」だ。

　この革命で、誰でも情報の受け手側から、発信側になれるチャンスが到来した。

　YouTuber、インスタグラマー、ライブ配信者など、ネットを使ってキャラや話術で稼ぐ人、新しい仕事が台頭。

　SNSで芸能人顔負けのフォロワー数や人気を集め、こうした認知度を生かしてステップアップし、大金を稼ぐようになった個人が出現した。

　あなたのつぶやきが注目を集め、大きなうねりとなって、世論を動かす。

　それも今や、夢物語じゃない。

　6人介せば世界の誰とでもつながれる「六次の隔たり理論」が示すように、世界中の誰とでも、SNSがあれば共通の知人を介してつながることもできるし、ネットを使って、古今東西あらゆる情報

を瞬時に得ることだってできる。

　スマホは「21世紀のインフラ」であり、「影響力の武器」であり、「夢の実現ツール」であり、あなたと人、社会とのつながりを生み出す「相棒（パートナー）」だ。

　しかしながら、同時に私たちを悩ませる。
「スマホ依存」や「つながり疲れ」。
　四六時中、誰かとつながることや膨大な情報に心をすり減らしながらも、私たちはスマホ画面を見つめずにはいられない。

　最近ようやく、「スマホ依存」に警鐘を鳴らす向きもあるが、その声は、人々の切実な悩みや潜在的ニーズに対してまだまだ小さすぎるように思う。

　そして「つながり」が美談として語られ、情報がセーフティーネット（安全網）といわれる一方で、SNSや情報、人間関係を取捨選択することについて語られる機会は、さらに少ないのではないか。

「SNSの伝道師」が スマホを手放したワケ

　私は2010年代のはじめ、TwitterやFacebookなどの"自分メディア"を使って発信をすることで、文字通り人生が変わった一個人だ。

　SNSでの発信から人とのご縁をいただき、仕事が創られ、テレビをはじめとするマスメディアに多数出演。

　それらの番組は毎回大変な話題となり、SNSのフォロワー数はTwitterだけでも5万人を軽く超え、毎日のようにメールや手紙、フォローが押し寄せた。

　ある日、たった数時間でFacebookの友達申請の数がパンクして、「★マーク」（おそらく、1000人以上）になったこともある。

　まったく無名のOLが、退職してからたった1年半で、雑誌やwebの連載を何本も抱え、時々報道番組のコメンテーターとして出演しながら、連日メディアのインタビューや対談、講演をこなす日々を送るようになったのだ。

　組織に属さず、個人がスキルを武器に働く「フリーランス」という形態は、今や自由に働く人の代名詞として広く知られる。

　無料Wi-Fiが設置され、コワーキングスペースが全国各地につくられ、企業にも「テレワーク」「リモートワーク」が浸透するにつれて、カフェでパソコンを広げて仕事をする「ノマドワーカー」を見かけるのも、日常の風景となった。

　こうした変化の一端を担えたかはわからないが、ともかく当時の私は、若者世代を中心に「生き方」と「働き方」の意識をアップデートし、SNSでの発信を推奨する「SNSの伝道師」だったのだ。

けれども、その後の数年間で、私の気持ちや考え方に大きな変化が起きた。2017年にネットから距離を置くようになり、翌年、すべてのSNSを退会。スマホには極力触れないようにして、ネットの利用時間も制限した。

　理由は3つある。

①自由な時間が減った
　1日平均5、6時間、パソコンやスマホからネットにつながっていた。ネットに触れていない時間も自分の投稿に"対する"反響や反応が気になり、仕事とプライベート両面で"今"に集中しにくくなってしまう。
　発信することも仕事だという意識もあって、危機感を持たないまま、SNSは生活そのものになった。

②のびのびと発信ができなくなった
　フォロワー数が増え、認知度が高まるにつれて、以前のような気ままな発信ができなくなった。
　発信には気を遣っているつもりでも、下手をすれば誰かに指さされ、最悪の場合炎上する。
　大好きだったはずのSNSが、だんだん億劫になり、一体、何のためのSNSなのだろうと感じるようになった。

③"つくられた世界"への違和感

これには自分の発言だけでなく、誰かの発言も含まれる。

当たり障りのない言葉や、小さな嘘、自分を取り繕うような態度……。

そうした"大人としての振る舞い"に対しても、うんざりした。

ネット上で"本当の関係"を築くのは難しいと感じたし、ここに莫大なエネルギーを注ぐ意味が見出せなくなってしまった。

ＳＮＳ を や め て わ か っ た 「 ６ つ の い い こ と 」

とはいえ、すぐにSNSやネットの世界から離れられたわけではない。

SNSをやめるときに最も怖れていたのは、チャンスやつながりを失うことだった。

実際のところ、やめてすぐは、私の世界は限定的だった。

つながりが、リアルな友人や仕事相手に限られるのだから当然だが、裏を返せば、SNSをやめれば切れる人間関係がそれだけ多いということ。

「本当のつながりとは何だろう」と、考えさせられた。

やめる前後のさまざまな実体験は第1章以降で語ることにして、「スマホを手放し、SNSをやめたことのメリット」を6つ、先に記しておきたい。

① 時間が増える

私であれば5、6時間、一般平均でいえば2〜5時間、SNSやネットに費やしていた時間が減る。増えた分は、すべて自由時間だ。

② 心にゆとりが生まれる

誰かの投稿でもやもやしたり、自分と比較して落ち込むことがいっさいなくなり、「何をどう投稿しよう」と気負うことがない。
自分は自分、他人は他人というごく当たり前の事実に立ち返り、マイペースで生きられるようになる。
大切な人との会話に集中し、旅をしている最中は思い切り楽しむ。
日常の景色の見え方が変わる。たとえば通勤時間にも、空を眺めたり、草木や花の美しさに感動したりする感性を取り戻せる。

③ 余計な人がいなくなる

実はほとんどの人間関係は、あってもなくてもいいということに気づける。
残った人たちの多くは、SNS抜きに会いたい、連絡を取り合いたいと思う人。
本当につながりたいと思えば、メールやLINE、電話、共通の友人などを使って連絡は取れるのだから。

④ 承認欲求と折り合いをつけられる

承認欲求とSNSは切っても切れない関係にあるように見えるが、

本当はそうではない。

承認欲求は、「誰かに認められたい」という感情だが、ほとんどの人は、別に「SNS」で認められたいわけではないはずだ。

愛する人から、そして自分の仕事や作品そうしたもので認められたいというのが本当のところではないか。

それを目の前のSNSで手っ取り早く満たそうするのではなく、「本当に勝負したいことで認められよう」と意識がシフトすると、SNSで近況報告をしたり、人が羨むような暮らしを発信することなど、どうでもよくなる。

⑤ 直感が研ぎすまされ、ひらめきが降りてくる

現代人は大量の情報で脳がパンクし、気がかりな人間関係で頭がいっぱいな状態寸前だ。

SNSや情報、人間関係、そしてそれらが原因のネガティブな感情は、私たちのノイズだ。

こうしたノイズを減らすことで、心が落ち着き、頭が静かになる。

すると、より一層直感が研ぎ澄まされ、ひらめきが降りてくるようになる。

⑥ パワーがみなぎり、
「本当にやりたいこと」をやるようになる

自由時間や心のゆとりが生まれると、これまであちこちから「ガソリン漏れ」を起こしていた自分の身体と心に、パワーがみなぎってくる。

そして、これまで“悩む”ことで使っていたエネルギーを、「本当にやりたいこと」に使えるようになる。

オールデトックスしなくていい

　こうしたメリットを並べてもなお、あなたが今、スマホを手放せないのはわかる。

　1日平均5、6時間、多いときは10時間以上使ってしまい、罪悪感に襲われた経験は私にも何度もあった。

　それをオールデトックスしようとすれば負荷もかかるし、脳だって拒否反応を起こしてしまうだろう。

　だからこそ、“少しずつ改善”させていくことを提案したい。

　本書は、前半の「つながらない練習」と後半の「つながる練習」という2部構成からなる。

　第1章から第5章までの「つながらない練習」では、「SNS」や「情報」「人間関係」とのつながりだけでなく、「常識」から脱することや「ネガティブな感情」を手放す方法も紹介する。

　そして、第6章と第7章の「つながる練習」では、自分の「ハート」や「本当に大切なもの」とつながるための方法を書いた。

　本書の目的は、「つながらない」ことで、あなたが本当に大切なものと「つながる」ことだ。

　これから紹介する練習を通して、自分の心や領域を守りながら、

心地よく、あなたが自分らしく生きることを願う。

つながらない練習 目次

第 1 章

SNSとつながらない 8つの練習

― 心をすり減らさない方法 ―

第2章

情報とつながらない
6つの練習
― 答えに迷わない方法 ―

第3章

人とつながらない
7つの練習
― 自分自身を守る方法 ―

第4章
常識とつながらない
7つの練習
― 自分らしく生きる方法 ―

第 5 章
ネガティブな感情と
つながらない7つの練習
― 穏やかに過ごす方法 ―

第 6 章
ハートとつながるための
7つの練習
― 毎日がときめく方法 ―

第 7 章

本当に大切なものと
つながるための6つの練習
ー 力強く進む方法 ー

イラスト　　　　　宮崎信恵・宮崎知恵（STOMACHACHE.）
写真　　　　　　　安藤美冬
ブックデザイン　　喜來詩織（エントツ）
編集　　　　　　　大隅元（PHP研究所）

1. 静かな場所で読む

自分の部屋や旅先など、できるだけ話し声などが聞こえない空間で本をひらくのをすすめる。

2. 心が穏やかなときに読む

イライラしたことがあったり、ひどく疲れたときは無理して読む必要はない。

3. 少しずつゆっくり読む

一気に読みきらなくていい。何日かかっても大丈夫なので、自分のペースでのんびり読むこと。もちろん、どのページから読んでも構わない。

4. 自分の心と対話しながら読む

本書を読みながら心が揺れ動くことがある。気持ちがざわついたり、ホッとする箇所は特に丁寧に読みつつ、心に浮かぶ「本音」や「疑問」「気づき」に注意を払おう。

5. ぜんぶ共感しなくていい

書いてあることすべてを守らなくていいし、実践しなくても構わない。自分が共感した部分や、「これならできそう」と感じた項目を練習しよう。

第 1 章

SNSとつながらない
8つの練習
― 心をすり減らさない方法 ―

KEEP
DISTANCE

「つながり疲れ」からの解放

　20世紀までマスメディアと一部の有識者、有名人が担っていた情報発信は、現在、芸能人顔負けの人気を集める一個人にも可能になった。彼らはSNSによって知名度や影響力を高め、収入やファンコミュニティを形成することに成功した。

　数十万〜数百万人ものフォロワーがいる彼らの愛用する商品は飛ぶように売れ、世論に影響を与えることもある。

　日本随一のアクセス数を誇るYahoo!ニュースでは、個人の発言が、テレビ局や新聞社が配信する記事に並んで掲載されている。

　条件を満たす者に限られているとはいえ、以前だったら考えられないことだろう。

　今や、10代のなりたい職業の一つが「インフルエンサー」だという。

　SNSで発信することが、「職業」として子どもたちの間で認知されている証だ。

　こうして個人の生活を華々しく変容させる一方で、「つながり疲れ」「いいね！疲れ」と表現されるように、いつでも、どこでも、人とつながるストレスがSNSにはある。

SNSは、これまで見えなかった他者を見えるようにする。

同世代の人気者、夢を叶えた成功者、幸せな家庭生活を謳歌する誰か。

彼らの投稿に思わず感情的に反応した経験は、あなたにもないだろうか。

SNSで誰でも情報発信できるということは、裏を返せば、いつも誰かに動向を「見られている」ということでもある。

何をして、何を考えて、どんな人とつきあい、どんな生活を送っているのか。

それは他人に見られるだけでなく、評価され、批判され、炎上するリスクをも孕んでいる。

人とのつながりを楽しめているうちはいいが、誰かの投稿に心を揺さぶられたり、つながりを煩わしく感じ始めたら「黄信号」だ。

それは、現状を見直し、何かを変えるタイミングに来ているという自分からのお知らせ。

まずは、あなたの「現在地」を知ろう。

そして、SNSとの"いい塩梅"の距離感やつきあい方について考えるきっかけにしよう。

☑ 紙とペンを用意して、SNSのメリットとデメリットを書き出してみよう。距離が近すぎないか？
もっと健全なつきあいえはできないだろうか？

ネットの圏外に出よう

　世界中どこでも、ネット網がはりめぐらされている。

　街中には無料で使える Wi-Fi がいたるところにあって、サハラ砂漠にすら、ネットのつながる場所があると聞く。

　この世界では、ネットがつながらないことはもう、不便というより "貴重な体験" となりつつある。ネットがつながらない離島への旅を旅行会社が「圏外旅行」として売り出したり、スマホやテレビが禁止の宿が話題になったりするくらいだ。

　私も、以前、そんな貴重な体験をしたことがある。

　世界一周船「PEACE BOAT」の水先案内人（船内で乗客に向けて講演をする役）として乗船したときだ。

　海上でも衛星回線を使えるが、料金はそれなりで回線も不安定になりがちで、まったくつながらないエリアを数日間航行することもある。

　それなら、とネットを使わないことに決めた。

　こうして3週間の乗船仕事は、図らずも「圏外旅行」となった。

　ネットとつながらない期間が3日過ぎ、1週間を過ぎると、次第

にこうした"異様な"環境に慣れてしまった。

　そこで思った。どうしてあんなに近況報告に忙しかったのだろう、と。

　船に乗る直前までは、「パスポート片手に、空港に向かいます！」「アメリカに到着しました」「今、メキシコにいます！」と、節目ごとに画像と文章をアップしていたし、そのことに何の疑問も抱かなかった。これは仕事の一環だという意識もあった。

　でも、気づいてしまった。

　講演の仕事がない自由時間、デッキに出て、ゆっくりと進む船が海面に残していく波の跡を眺め、青い空を見上げ、風に吹かれていると、近況報告など、どうでもよくなってくる。

　船は飛行機の24倍遅く進む。

　つまり飛行機が1時間で到着する距離を、まる1日かけて進むのだ。

　それを非効率だと怒り出す人はいるだろうか？

　それと同じで、ゆっくり日常を生きる日があってもいい。

　月に1日でいい。スマホを家に置いて外に出てみよう。

　Google Maps も食べログも使えないけれど、代わりに GPS があなたの居場所を検知することもない。

一歩外に出れば、スマホにはない「世界」が広がっている

スマホの画面の代わりに、目の前の景色を眺めてみよう。

　いつもの通学路、見慣れた交差点、道ばたでひなたぼっこする馴染みの野良猫、何の特徴もない路地裏を、先入観なしにもう一度味わってみてほしい。

　息を呑むほどの美しさを感じられるだろうか？
「たいしたことはない」とジャッジしていた思い込みを捨てれば、彼らは本当の姿を現してくれる。

☑ スマホを持たずに出かけて、ネットを使わない日をゆっくりと楽しもう。

スマホを手放して
わかったこと

　図らずも「圏外旅行」となった3週間の船旅から帰国した後、SNSに向けていた熱意は急速に萎んでいった。

　日課となっていた近況報告や（仕事の）宣伝、オンライン上のつきあいに、以前ほどの価値を見出せなくなったからだ。

　多少の影響力、発言力を得て、インフルエンサーとしての様々な仕事、そして著名人やファンとの交流を楽しんできたのは事実だ。

　でも、莫大な時間とエネルギーを、「これも仕事の一環だ」と自分を騙しながらSNSに注ぐ現実もある。

　1日6時間前後のネット生活を7、8年。
「スマホ（SNS）依存」そのものだ。
　いや、「承認依存」「つながり依存」と呼ぶべきか。

　発信を楽しみにしてくれる人や仕事のことを考えると、迷いが出る。けれども最後は、「ネットのない世界に生きよう」と、本心に従うことにした。

　とはいえ、長く依存してきたSNSと訣別するのは大変だった。
「Facebookはもう見ない」と誓っても、"パブロフの犬"のように

朝起きればスマホに手を伸ばし、アプリを開こうとしてしまう。

　同世代で頑張っている友人たちの華々しい投稿を想像すると、「私だけが立ち止まっていいんだろうか」と、急に不安になる。

　SNSをやめるために約2年間をかけて、以下の3つのステップを踏むことにした。

　　ステップ1：時間を制限する
　　ステップ2：スマホからアプリを削除する
　　ステップ3：アカウントを退会する

　ステップ1は、「時間制限」だ。

　手始めに、起床後の1時間と就寝前の1時間は「機内モード」にして、SNSだけでなく、ネット自体を使えないようにした。

　さらに仕事がオフの日は、「午前中は見ない」「午後の13時から16時までは見ない」と、オフラインの時間を延ばす。

　ダイエットと原理は同じで、いきなり制限をかけると反動でやりたくなる。

　だからこそ、SNSをやりたい気持ちに蓋をせず、機内モードの時間を少しずつ増やすことによって、ソフトランディングで「つながらない生活」に自分を慣らしていった。

　踏ん張り続けて半年も経つと、つながらない生活にだいぶ慣れて

「スマホ（SNS）依存」から抜け出す3ステップ

きたため、ステップ2「スマホからアプリを削除（アンインストール）」へ。

　Twitter、Facebook、Instagram、ブログと、発信で使っていた全アプリをスマホから削除した。

　ただしここでも、パソコンからはアクセスできるようにして逃げ道をつくった。

　当時の私は原稿執筆と資料作成だけはパソコンで、それ以外はスマホの利用だったため、効果はテキメン！

　特定の仕事以外ではアクセスしなくなり、SNSのことを次第に忘れ、やりたい欲求も薄れていった。

　最終段階のステップ3では、遂に「SNSアカウントを退会」。

　アカウントを退会したのは、ちょうどグループで海外視察に出発する日の朝だった。周囲の数名に「今から退会するよ」と声をかけ、断髪式のように実行。

「本当にやったか〜」「この経験はいずれ誰かの参考になるね」と、様々な言葉をかけてもらったことを思い出す。

　日本を発つ飛行機の中でSNSと共に生きた思い出に浸りながら、「SNSのない新しい世界」への希望に胸を膨らませたのだった。

☑️ ステップ1だけでも効果はある。就寝前、起床後の1時間だけでも「機内モード」にしてみよう。
慣れてきた人はステップ2、ステップ3にも挑戦してみよう。

スルー力を鍛える方法

　SNS は、ある意味、フラットな世界だ。

　影響力やフォロワー数に差はあれど、仕様やスタート地点は皆一緒。

　共通の友達を介せば、あるいは検索すれば、誰とでもつながることもできる。

　これまで雲の上の存在だった人たちの投稿を見ることもできるし、相互フォローできる可能性だってある。

　だからこそ、相手との距離感を見誤る人もいるだろう。

　たとえば、「承認は友人に限る」と明記しているのに、友達申請をする人。

　申請を放置しておくと、「私はこういう者です。よかったら友達になってください」とわざわざ個別メッセージを送ってくるのだ。

　私の友人は、最初はこうした見知らぬ人たちに丁寧に応答していたが、そのうちキリがないので一様に彼らの申請は却下。メッセージは未読のまま削除するようにしたと話していた。

　誰彼構わずフォローした上に、相互フォローを頼んでくる人もいる。

そうした人の中には、見かけ上の"友達"を増やすことでネットを使ってお金を稼ごうとする人がいる。手当たり次第つながろうとし、影響力や認知度を広げて、ひとりひとりには関心がない。

　SNS上にたまにいるこうした人たちに対しては、「つながらない練習」をやりやすい。
　言葉が悪いが、「却下」「スルー」「フォローを外す」ことを、この人たちで慣れてみるのだ。
　そもそも、相手はあなたじゃないとダメなわけではない。罪悪感は起こりにくいだろう。

　毅然（きぜん）とした態度を取れるようになれば、今度はあなたにとっての"本命"と「つながらない本番」ができるようになる。
　たとえば心がすり減る身近な人の投稿や要求に、少しずつ対処していくのだ。

☑ スルー力は鍛えられる。
　まずは、見知らぬ人たちとのやり取りから始めよう。

すべてに「いいね！」しない

　来たメッセージにはすぐに返信する。

　友達やクライアントの投稿には「いいね！」を押して、コメントや「いいね！」がついたら礼儀として返す。

　電話がかかってきたら、緊急でなくても折り返す——。

　最近ではテレワークが一般化して、仕事の関係者や会社の同僚らとつながる時間が増えた人も多いだろう。

　休日もメールが来たり、SNSを通じて仕事の依頼や連絡が来たりすると心が休まらないばかりか、それがネガティブな内容ならなおさら、休日が台無しになったような気持になる。

　こうして「相手軸のルール」でいると、自分がどんどん苦しくなってしまう。

　大切なのは、「相手軸」ではなく「自分軸のルール」を持つことだ。私はこれを「マイルール」と呼ぶ。

　たとえば、「SNSの通知をオフにする」「電話は緊急の用件以外出ないと伝え、メッセージに限る」「時間を決めて、機内モードにする」といった工夫や、「2日おきに1日はFacebookを休む」「いいね！ やコメント返しは親しい友達だけに限る」など。

こうしたマイルールを決めて、実践するのだ。

　できれば、知り合いには周知しておくのがいい。フリーランスなど、自分の裁量で仕事をしている人は特に、それを伝えた上で仕事を受けるようにすると、その後がスムーズに運ぶ。

　「罪悪感」や「申し訳ない気持ち」は最初のうちだけで、次第に消えていく。

　マイルールをつくり、きちんと伝えることで、相手にも「自分はこういう人」と受け入れてもらうきっかけにもなる。

　事務局スタッフのＡさんは、「土日は仕事をしない」「平日の20時以降はレスを返さない」など、最初から私に対してはっきりと基準を示してくれたおかげで、お互いにストレスになることを避けられた。

　腹の底に抱えているものが少ないと、信頼関係も築きやすい。

　こうした文化が、私たちのような個人だけでなく、会社などチームで働く人たちの間でも育っていくのを願う。勇気を持って境界線を引き、「マイルール」で動く人が増えると、お互いがより心地よく関わり合えるからだ。

☑ 自分のために「マイルール」を持とう。
　 罪悪感は次第に消える。

たまにはスマホを投げ出す日があってもいいじゃない

本音と建前のズレが生むもの

　SNSから距離を置く直前、私が最も違和感を持ったのは、様々なところで槍玉（やりだま）に上がりがちなTwitterよりもFacebookだった。

　あくまで個人の感想だが、匿名（とくめい）で好きなようにつぶやけるTwitterよりも、実名で一見秩序があるように見えるFacebookの方が、場の雰囲気に対してひっかかるものがあったのだ。

　その理由は何か、と考えてみたところ、ひとつの仮説に行きあたる。

　Twitterは匿名で、良くも悪くも「本音」を書ける。
　でも、実名のFacebookはそうはいかない。腹に何かを感じつつも、「建前」を書いたり、心の伴わないまま「いいね！」したりすることがあるだろう。

「一斉送信されたイベントへの招待」
「結婚記念日や子どもの誕生日報告」
「仕事に邁進（まいしん）する意気込み」

　あなたも「この人は無理をしている感じがする」「ひけらかす感

じが空虚」「嘘っぽい」と、誰かの投稿に感じたことはないだろうか？

　こうした本音と建前のズレが、Facebook全体の雰囲気をつくっているのだと思う。

「何かおかしいな」と思う投稿に対して「いいね！」する前に、手を止めてみよう。

　それは、あなたの心を伴う「いいね！」だろうか？

☑　「建前」から誰かの投稿にコメントや「いいね！」をするくらいなら、口を閉ざそう。

Instagramの景色は、本当の景色か？

自撮り写真を、原形を留めないほどに加工してアップする。

普段の生活の「いい面」だけを人に見せる。

自分を「実際以上」に見せようとする人たち。

こうしたことに疑問を感じ始めたインフルエンサーの中には、あえてすっぴんをさらしたり、型にはまった「理想の生活」を発信し続けるのをやめて、"舞台裏"を暴露したりする人も出てきた。

これらは"リアル"からかけ離れてしまったことによる、「揺り戻し」なのだろう。

あなたが毎日眺めている、Instagramの写真。

空は明るさを増し、花は彩度が高くなる。撮影者の思い通りに手を加えられた世界。

それは、本当の景色だろうか？

☑ 羨むような人や生活を目にしても、比べないこと。
彼らの本当の姿は、あなたには決して見えないのだから。

「インスタの世界＝ホンモノ」とは限らない

傷つきたくなければ、
熱くなろう

ネットの誹謗中傷が年々深刻化し、社会問題となっている。

　自宅や会社のパソコンから、スマホから、あるいはネットカフェから。いたるところで今この瞬間も、誰かが誰かを傷つける。キーボードを（指で）叩いてときには人を死に追いやることもある。そこから「指殺人」という言葉が生まれ、日本ではテレビドラマにもなった。

　こうした誹謗中傷の被害者は、今や芸能人や文化人、あるいはインフルエンサーだけではない。通学している学校の裏掲示板サイト。ブログのコメント欄に寄せられる心ない声。そこかしこで傷つけ合いが起きている。

　誹謗中傷が生むもうひとつの社会問題。
　それは、「チャレンジする気を削ぐ」ことだ。

　ある日、友人が自分の YouTube の画面を見せてくれたことがあった。
　決して見るつもりはなかったのだが、目的の動画の下にずらりと、「芸能ニュース」の視聴履歴やお

すすめが表示されているのが目に入ってしまった。

　不倫、ドラッグで逮捕、炎上といった刺激的なタイトル文字の上に、「視聴済み」の範囲を表す赤い線が、右端まで伸びていた。

　彼女はとても優しくて能力の高い女性なのだが、他人の目を気にしすぎるところがあって、なかなか目標とする仕事に挑戦できないでいた。

　ひょっとしたら、彼女が社会や他人を必要以上に怖がり、挑戦できずにいるのは、こうした動画や記事も理由のひとつかもしれないと思い当たったのだ。

　誰かが傷つけ合い、炎上するのを見るだけでも、私たちは心にダメージを負う。

　何か一歩を踏み出してみたいけれども、勇気が出ない。失敗するのが怖い。その失敗を他者に笑われるのは嫌だ。あの人のように嫌われたくないし、ネットの晒し者には絶対になりたくない――。

　何かをやりたくなっても、「どうせだめだ」「周りがなんて反応するだろう」と怖れ、せっかく出た芽を自分で摘みとってしまう。

　「創造の反対は怖れ」と表現する人がいる。

怖れを超えるには、情熱を拡大させていくことに尽きる。
情熱は恐怖を圧倒するからだ。

　私は大学時代にオランダのアムステルダム大学へ交換留学し、現地の「ワークシェアリング」に代表される、自由で柔軟な働き方に衝撃を受けたことがある。
　以来、パソコンひとつで大好きな旅をしながら、フリーランスとして、時間や場所に縛られない仕事をすることが夢の生き方となった。

　そして新卒で出版社に就職。いくつかの仕事を経験した後、30歳のうちに会社を辞めるつもりでいたものの、どうしても経済的な安定を手放すことができず、1年が経ち、1年半が過ぎた。

　後には戻れないが、前に進むこともできない——。
　葛藤する日々の中、メンターから教えられたのが、岡本太郎著『自分の中に毒を持て』。
　翌日、会社近くの書店で買い求め、そのまま喫茶店で本を開いたときの衝撃は、10年以上経っても色褪せることはない。

「安全な道か、危険な道。迷ったら、危険な道を選べ」

　あらゆる批判や否定に負けず、大衆に媚びることなく、自分の意志と感性を貫き、作品を生み出した岡本太郎の言葉だ。

　私のような普通の人間と比べるべくもないが、ページからほとばしる彼の熱狂、気迫に、ただ身体が震え、涙がはらはらとこぼれ落ちたのを覚えている。

　大阪の地に屹立する太陽の塔の前に立ったとき、私の腹は決まった。
　私は私の思うように生きる。
　安全な道なんてクソ喰らえだ。
　直後、何でも仕事にしてやるという思いで一歩を踏み出したのがSNSだった。

　こうして絵画の遠近法のように、目の前にあった怖れが遠くへ行き、遠くにあった情熱が目の前に見えてくる。

　情熱の力で、あなたは一歩を踏み出すことができる。
　まずはあなたの情熱を掘り出す作業をしよう。
　温泉を掘り当てるように、情熱の源泉を掘っていくのだ。

　あなたが知っている、最も勇敢な人たちを思い浮かべてみよう。
　あなたの中にある、本当は動き出したくて仕方がない、最も熱い部分を探そう。

　☑️　あなたの情熱の源泉を掘り出そう。

第 2 章

情報とつながらない
6つの練習
― 答之に迷わない方法 ―

情報を断捨離する

　日本人のスマホ使用時間は、ある調査によると「1日2時間〜5時間」が半数を超えるという。

　しかも、本人が意識しているよりも使用時間の実態ははるかに長いそうだ。本人が「2時間」だと思っていても、スクリーンタイム（スマホの各アプリの使用時間が表示される）などで測ると、「5時間」ということも少なくない。

　スマホ利用を1日4時間とすると、単純計算で、年間約60日間になる。

　仕事込みとはいえ、どれだけの時間をスマホに費やしているか、想像できるだろうか？

　モノは目に見える分、私たちは意識的でいられる。

　モノが部屋にあふれたら生活に支障をきたすし、どの洋服を今日は着ようか、とクローゼットを見渡すこともする。

　では、「情報」はどうだろう？

　情報があふれすぎていると気づいているだろうか？

　どの情報を今日は見ようかと、意識して選んでいるだろうか？

　ある統計によると、日本人は平均100個のアプリを所持してい
て、実際に利用しているのは40%に満たないそうだ。

　情報は実体がないので、無限大に得られる。
　SNSのタイムライン、テレビ、車内広告から、矢継ぎ早に飛び
込んでくる。
　しかし目に見えないからといって、生活に影響を及ぼさないわけ
ではない。
　むしろモノよりも深刻な形で、良くも悪くもあなたの心を揺さぶ
るのが情報だ。

　情報を断捨離するための「目安」を挙げてみよう。

①しばらく（1年以上）使っていない、見ていないもの
②今の自分には役に立たないもの（過去には必要だったとしても）
③触れていると不安や焦り、怒りなど、ネガティブな感情が湧いて
　くるもの

　たとえば、ほんの少しの時間でこうしたことができる。

・しばらく使っていないアプリを、スマホから削除（アンインストー
　ル）する
・ネットショッピングをしたら連日送られてくるようになったメルマ
　ガを、配信停止にする

・もう興味のなくなった人（企業、商品）のアカウントのフォローを外す
・1年以上動いていない LINE グループを退会する
・見るともやもやする友人や仕事相手の投稿を、すべて非表示にする
・テレビを見ていて不安や怒りを感じたら、番組のチャンネルを変える

　ただし、自分ひとりで完結できるアクションはすぐにできても、友人や仕事相手が絡むと、途端に遠慮が出てくる人がいるという場合も多いだろう。

　そんな人には、「すべてに『いいね！』しない」（37 ページ）も参考にしてほしい。

　Facebook の投稿は相手に気づかせずに「非表示」にできる。
　LINE グループを退会した瞬間にメンバーに通知されることはないし、そもそも 1 年以上動いていないグループなら、非難する人もいないだろう。

　もし投稿を非表示にした友人や仕事相手と会う予定があるなら、「会う直前だけ」投稿をざっとチェックすればいい。彼らの名前で検索して最新の投稿をいくつか読んでおけば、話に乗り遅れることはないはずだ。

　万が一、非表示や退会したことであなたを悪く言う人がいたり、

大げさに傷ついたりする人がいても、気にしすぎることはない。
（SNS依存から脱したい）自分の気持ちや状況を説明すれば、大抵の
人は納得してくれる。

　いざというときのためにも、「マイルール」を決めておくことは
大切だ。

　好き嫌いなどの個人的感情ではなく、ルールを元に行っているこ
とを強調しよう。

　それでも誰かが否定的な態度をやめないのなら、「相手の感情は
相手の責任」という言葉を思い出してほしい。あなたの行動に対し
てどう反応するかは、それぞれの選択なのだから。

☑️ しばらく使っていないアプリをスマホから削除しよう。
　読んでいないメルマガの類も、「配信停止」にしよう。

予測されてたまるか

Facebookの広告やAmazonの「あなたへのおすすめ」に表示される商品は、ひとりひとり異なる。

"おすすめ"といえば聞こえはいいが、それらはあなたの日々の購買や検索、つまり行動や関心ごとからAIがはじき出した"計算"の結果だ。

　計算の精度が増すたびに、あなたはますます「過去の自分」と同じような行動をとらされることになる。そして、「過去の自分」の考えや価値観がますます増強されていく。

　決して AI は悪者ではないし、彼らは私たちの生活をより便利に、豊かにしてくれる相棒だと思う。

　けれども、ときには彼らが行う "予測" からあえて少しズレてみることで、「過去の自分」がつくったレールから外れてみよう。

過去の購買行動や視聴行動のレールから、意識的に外れてみる。

　何もかもが予測されてたまるか——。

　これらは私たちができる、"ささやかな反抗"だ。

　ネット空間を飛び出して、リアルな場所を探索してみるのはどうだろう。

　たとえば街の書店の、普段は行かないようなコーナー。

「バイク」「ソロキャンプ」「配色事典」……普段は手に取らないような本たち。

　読んだことのないジャンルの本を読んでみると、意外に面白かったりする。

　仮に面白く感じられなかったとしても、その行動をとる前と比べれば、現在の自分には確実に新しいレールが生まれたはずだ。

　人から情報を得るのもいい。

　年齢や職業が異なる、多様な人々から収集できれば、なおいい。

　最近私も、目の前の人のおすすめにひたすら乗る、をやっている。

　興味のなかった作家の小説、甘味のある冷凍さつまいものお取り寄せ、知らない街のレストランでの食事、自分には不要だと感じていた心理学や速読講座の受講など、人からの情報で体験できたことを挙げたらキリがない。

　大げさでなく、これらは「人のおすすめに乗る」と決めなかったら、生涯体験しなかったであろうものたちだ。

　真剣にやる必要なんてない。
　ゲーム感覚で、楽しみながらやってみよう。

“予測計算”の「外」へ！

☑︎　書店を探検して、普段行かないコーナーに置かれた本を手にとってみよう。
　　人からのおすすめにゲーム感覚で乗るといい。

情報は体感覚で選ぶ

　情報を取捨選択するといっても、使う／使わないを判断しやすい
モノと違って、情報の判断は難しく感じられるかもしれない。
　特に不安を煽（あお）るような情報は、刺激が強く依存性が高いし、情報
源に対して信頼が置かれているほど、受け手に与える影響も大きい。

　私が考える情報の役割とは、本来、あなたの感情や思考をポジティ
ブに刺激し、インスパイア（感化）することだ。
　情報によって不安や恐怖が増幅した結果、行動をやめるのは本末
転倒。ならば踏み込むのをやめよう。

　あなたにとって「いい情報」と「要注意の情報」の基準を知ろ
う。

　いい情報＝接すると、やる気や希望、その他ポジティブな感情を
　　　　　感じる。
　　　　　　何かをやりたくなったり、動き出したくなったりする。

　要注意の情報＝接すると、無力感や不安、その他ネガティブな感
　　　　　　情に襲われる。
　　　　　　やる気を失ったり、不安で動けなくなったりする。

身体は何をほしがってる？

つまり、あなたにポジティブな影響を与えるのが「いい情報」
で、ネガティブな影響を与えるのが「要注意の情報」ということ。

専門家や権威のある人の発言だとか、有名なインフルエンサーの
意見だとかはまったく関係がない。
ニュース、セミナー、SNSで伝えられるダイエットや美容情報
など、どんな情報でも、あなたへの影響がポジティブなのか、ネガ
ティブなのかが情報を選ぶ基準となる。

情報に翻弄されないためには、自分の中に確かな尺度を持ち、良
し悪しを見分けること。それは自分の「体感覚」が教えてくれる。

その情報に接したときの、感情や身体の反応に注意を向けてみよ
う。
身体がゆるんだりリラックスするか、それとも緊張したりこわば
ったりするのか。情報に接するたびに、ひとつひとつ丁寧に調べて
みよう。
慣れてくれば、情報を目にした（耳にした）瞬間に素早く見分け
ることができるようになる。

☑ ネガティブな感情になる情報からは距離を置こう。
☑ あなたの「体感覚」が、「いい情報」か「要注意の情
　報」かを教えてくれる。

むやみに検索しない

　あるアンケートによると、妊娠中に不安を感じてネット検索をする妊婦は9割にものぼる。半分近くは検索で不安が和_{やわ}らぐが、4人にひとりは不安が増大するという。

　誰もが何かに不安を感じたとき、ネット検索をした経験があると思う。

　しかし上記のアンケートが示すように、検索をした結果、不安が解消するどころか余計に落ち着かない気持になることもあるだろう。

　私の知人の娘さんは、新卒入社した会社が全面テレワーク化となり、実家で仕事をするようになった。

　最初のうちは自由気ままな働き方を満喫していたが、そのうち行き詰まってしまう。

　オフィスで毎日顔を合わせるわけではないので、同僚や上司との関係に壁を感じるようになり、彼らと打ち解けられないことを悩み出したのだ。

　社会経験が乏しい彼女はネットに頼るようになるが、自分と同じような悩みを持つ人たちの人生相談を検索しても、回答はバラバ

ラ。

　感情的なレスや言い争いなども目にするようになり、余計にふさ
ぎこんでしまったそうだ。

「ストレスを溜めちゃって、最近は食欲がないのよ」と、彼女の母
親である知人はしきりに心配していた。

　不安を解消しようとネットを検索しても、そこで"望む"回答が
得られるとは限らない。

　感情的だったり、荒れていたりする場を目の当たりにすることも
あるし、そもそもネットには使える情報もあるが、そうではない情
報も多いからだ。

　それでも、「サンクコスト（埋没費用）効果」が働く。

　すでに支払ってしまった時間的・労力的なコストを取り戻そう
と、「なんとか安心するために」と次から次へと情報を取りに行っ
てしまうのだ。

　不安を和らげたいなら、信頼できる人を頼ろう。

　実際に知人の娘さんは、一連の出来事と自分の本心を母親や親友
に打ち明けることで落ち着きを取り戻したそうだし、妊婦の不安
は、パートナーと分かち合うことで最も解消されるという。

☑ 不安が募ったらネットに頼らず、信頼できる人に素直な気
　 持ちを打ち明けよう。

朝一番の感情を整える

　感情は、雪だるまのように膨れる性質を持つ。
　喜びなら喜びが、怒りなら怒りが拡大していく。
　特に負の感情は強烈だし、尾を引きがちだ。一度ネガティブモードに入ったらなかなか抜けられないのは、誰もが経験済みだろう。

　感情の状態を万全にして1日をスタートするには、「朝一番」の感情を整えるのが一番いい。
　朝一番の感情は、実は「寝る直前」の感情が影響している。
　間に睡眠（夢を見る）を挟んで、起きたときの状態が決まるのだ。

　つまり、新しい1日の最初の感情の状態を整えるには、「前日の夜」に準備しておくことが大切になる。

　寝る前の習慣として、「今日嬉しかったこと」を日記にリストアップしてみよう。
　誰かへの（自分も含めて）感謝を綴る「感謝ノート」でもいいし、1日を振り返って「今日の自分を3つ褒める」でもいい。

　ポジティブな感情とつながれたら、ルームスプレーをひと吹きし

て好きな香りに包まれながら、手触りのいいブランケットや布団の中でゆっくりと眠りに就こう。

　こうして寝る直前に感情を整えておくと、翌朝の目覚めが格段に良くなる。

　そして朝目覚めたら、すぐに布団から起き上がらずに、「5分間」は自分の感情をさらに整えるのに使うこと。

　気がかりなことがあると起きた瞬間に不安が押し寄せることがあるし、悪夢を見れば嫌な気分が後を引くものだからだ。

　こうやって朝を迎えるたびに、自分の心と向き合い、今どんな感情でいるのかに注意を払ってみる。

　焦りや不安、寂しさかもしれないし、今日1日へのワクワクとした気持ちや前向きな期待感かもしれない。

　「感情のコンディション」は日によって違う。これも、自分をより深く知る手がかりになる。

　感情をポジティブな状態にまで整えたら、そこからの行動は一層気をつけよう。

　いい流れを止めるような行為はしないこと。

　事故や事件などを報じるテレビや、コメントが荒れているネットニュースの記事などに触れてしまったら、振り出しに戻ってしまう。

　もしそうなったら、「感情を整える」ことに再び集中しよう。

自分にどんな情報を入れるのかを、食べ物と同じように扱おう。

　毒になるものは自分に入れず、美味しくて栄養になるものだけを口にすること。

　誰も、毒だとわかっているものを口には入れないだろう。それと同じだ。

　1ヶ月もすれば、ポジティブな感情が朝一番の「デフォルトの状態」になっていることに気づくはず。

　この状態になると、小さなことでイライラせず、スムーズに1日が過ぎていくようになる。

☑ 寝る前の感情をポジティブに整えよう。「今日嬉しかったこと」を日記に綴ったり、「感謝ノート」を書いたり、1日を振り返って「今日の自分を褒めて」みることが役立つ。

他人の言葉に翻弄されない

　高校時代、大阪で3位の成績を持つ有望な陸上選手だった知人がいる。大会前にはオリジナルメニューで完璧に調整し、日々鍛錬をしていた彼。試合当日の朝、「今日は勝てる」と前もってわかるときがあり、その日は決まって勝てたそうだ。

　逆に勝てなかった試合の日は、「今日は勝てる」という確信がないのはもちろん、周囲の人に不安から「俺って今日いけるかなぁ？」と聞いてしまっていたという。

　不安なときほど、人に頼りたくなるものだ。

　悩んだときの解消方法のひとつに占いがある。

　テレビの情報番組や雑誌の巻末、ネットの無料占いのような気軽なものだけでなく、手相、顔相、算命学、西洋占星術など、占いだけでも相当の数だ。どんなに小規模な書店やコンビニにも占い本は売られていて、毎年大ベストセラーになるという。

　こうしたアドバイスで本人が前向きになれたらいいが、中には相談者を突き落とすような言葉も少なくない。

　「あなたは結婚できない」と占い師に鑑定され、ひどく落ち込んでしまった友人がいた。せっかく舞い込んできた仕事上のチャンス

を、占い結果で「凶」と出たために棒に振ってしまった人も見た。

　かくいう私も大学時代、友人の紹介で占いに行って酷い目にあったことがある。

　60代くらいの男性は私の顔を見るなり、立板に水のようにこちらの質問を無視して話し続け、「あなたはこうなる」「これは絶対にできない」などと一方的に決めつけてきた。その勢いに最初は気圧され、しまいには呆気にとられた。

「この人はきっと、生きづらいだろうなぁ」と、私は思った。

　あれもだめ、これもだめ、それは難しい——客に伝えているアドバイスはそのまま、彼が自分に突きつけているものだろう。

　占いの結果や因果にとらわれ、自分を制限しているのは、この占い師自身なのだ。

　占いに限らず、家族や親友、メンターのアドバイスですら、結局は他人の言葉。自分以上に自分を知る人は、本来いないはず。

　その人のフィルターがかかった言葉に納得できれば取り入れればいいし、そうでないなら聞き流せばいい。

　これらは情報として使いこなす。あくまで自分が「主」だ。

☑ 他人の言葉は他人のもの。役立つ言葉だけを取り入れる、あくまで自分が「主」であろう。

第 3 章

人とつながらない
クつの練習

― 自分自身を守る方法 ―

他人に期待しない

　メッセージのちょっとしたやり取りで、敏感に反応しすぎることがある。

　言葉尻をネガティブに捉（とら）えたり、自分が期待している表現がないと不安になる。

　直接のコミュニケーションと違って、文字情報には表情や声色がない分、ネガティブな方向へと解釈をしがちかもしれない。

　私もほんの数年前までは、相手のメッセージにいちいち感情的になっていた。

　恋人の既読スルーにもやもやし、遊びに誘っても未読なままの友達にイライラしていた。

　仕事で連絡がないのはもってのほか。即日返信しない人を心の中で「できない人」と決めつけた。

　当たり前だが、他人は自分ではない。

　けれども、相手に対して思いが大きいほど、その人との境界線はどんどん曖昧（あいまい）になっていき、「こう（自分のために）振る舞ってほしい」という期待は膨らんでいく。

　期待が失望へと変わるたび、「こうするべき」「こうあるべき」と

いう暗黙のルールも増える。

そして、二度と傷つかないために、二度とないがしろにされないために、ルールをつくって相手を裁き始める。

相手を裁く立場でいるうちは、人は自分にパワーを感じられるからだ。

でも、こうした不満や怒りは本当の感情ではない。

恋人や仕事相手を責めたいのではなく、ただ私は心の深いところで、もっと自分のことを大切に扱ってほしいと望んでいただけだったのだ。

人と「不満」や「怒り」ではなく、「愛」や「満足感」でつながりたいとはっきり思えたとき、自分を苦しめてきた「期待」を手放すことができた。

そして、「べき」を捨てた。

変化がじわじわと起こり始めた。

私も即日返信を自らに課さず、返信したいときにする。すると、返信する際は自然と気持ちがこもる。

相手が既読スルーしようと、しばらく返信がなかろうと、気にならなくなった。

多少やり取りが遅れても、ほとんどの仕事に支障をきたさないことも実感した。

何よりの変化は、「相手が期待通りに振る舞う＝自分が大切にされている」と、等式を結ばなくなったことだ。

　私という人間の価値は、他人からの扱いとは関係ないのだから。

☑️　「べき」を捨て、他人の既読スルーや未読スルーに OK を出そう。

　自分の振る舞いも変えよう。たとえば、すべてのメールやメッセージに迅速に返信することをやめてみる。

自分も相手も尊重する

　私たちの国では、自分よりも他人を優先しなさいと言われて育つ。
「人に迷惑をかけてはいけない」「人との約束は守りなさい」……
そうした教えは数あれど、「自分を大切にしなさい」「自分を優先しなさい」と言われることはまずない。

　人の都合を優先し、人の感情を 慮 り、人の事情を汲み取り続けたら、自分の心は悲しみと怒りで潰れてしまう。
　かといって、他人を優先することに疲れ果てた結果、攻撃的な態度で相手を組み敷こうとすれば、健全な関係は築けない。

　自分が負けて相手を勝たせるのでも、相手を負かして自分が勝つのでもない。自分と相手を同じように大切にするには、一体どうすればいいのだろうか。

　アメリカで生まれたコミュニケーション法に「アサーション」がある。
　アサーションを一言で表せるような日本語はなく、「自分も相手も大切にする自己表現」という意味だ。

「私たちは誰もが自分らしくあっていい」

　自分と相手の人権が尊重される。

　アサーションでは、私たちの顔がそれぞれ違うように、考えや気持ちは他の人と同じでなくていい。

　だからこそ、「自分の気持ちを伝え」「相手の気持ちを聞く」ことでお互いに歩み寄るのだ。

　自分の気持ちや意見を相手に押しつけるのではない。

「こういうことをされたら悲しい」「あなたのお誘いは嬉しいけれど、自分は少し休みたい」と、自分の素直な気持ちを伝え、それに対する相手の気持ちにも同じように耳を傾ける。

　自分の気持ちが相手に受け入れられたとき、私たちは安心感とつながりを感じる。

　それは、相手も同様だ。

☑️ 自分の素直な気持ちを相手に伝えながら、相手の気持ちにも寄り添おう。

他人の日常に首を
突っ込まない

　誰しも生きていれば、仕事や家庭、人間関係などに支障をきたすことはある。

　自分のことは放っておいてほしいが、人のことになると構わずにはいられなくなる。

　「あの人がこうなった」「この人が今大変だ」と口々に噂をすることが、他人に首を突っ込むどころか "鼻を突っ込む" 行為だということに気づかない。

　私も数年前、SNS をやめただけで周囲から「行方不明者」扱いをされたのに驚いたことがある。

　会う人、連絡をもらう人から、「最近はどうしているの?」と聞かれたのだ。

　やめる前の自分の状況を考えれば当然の反応かもしれないが、次第にうんざりしてきた。

　「自分の動向が他者に知られるのは当たり前」「他者の動向を自分が知っていて当たり前」というのは、ちょっと異常なんじゃないか?　と思えたのだ。

　人と自分との「境界線」は、SNS も手伝って、どんどん曖昧に

なっていく。

　どうして人のことが気になってしまうのだろう？

　私自身を正直に振り返ってみると、家族や友人の日常や問題に"鼻を突っ込んでいた"時期はある。困っている人を放っておけず、相談に乗り、アドバイスをした。

　そうした自分を、まるでヒーローのようだと勘違いしていた。

　誰かが人を放っておくのを見ると、以前はなんて冷たい人なのかと思っていた。噂話に加わらない人は、自分にしか興味のない人なのだろうとも。

　なんて傲慢だったかと思う。

　でも今は違う。放っておくことは、信頼と同じだ。

　自分と他人の間に境界線を引ける人は、相手を自立させることができる。

　大抵の場合、できることは相手の強さや可能性を信じてあげることだけなのだから。

　人に構うのには、自分に都合の良いメリットがある。

　それは、「本当にやるべきことから逃げられる」ということ。

　人の問題を見つめているうちは、自分の問題から目を逸らせるからだ。

　しかも手出しをすれば、「何かをしている」状態でいられる。

困っている人を助ける前に一呼吸

人のことは放っておこう。
誰かが気になるときこそ、自分に集中するときだ。

☑ 人に関心を寄せすぎるのはやめて、自分がやるべきことを
やろう。

友人以外の誘いに乗ってみる

　私たちの人間関係は、大まかに2種類ある。
「ストロングタイ（強いつながり）」と「ウィークタイ（弱いつながり）」だ。

　ストロングタイとは、家族や親しい友人、クラスメイト、会社の同僚など、頻繁に会ったり連絡を取り合ったりする、強い結びつきがある人を指す。

　ウィークタイとは、初対面の人や、顔見知り程度の人、個別でなくグループで会ったりオンラインだけで交流したりしている、より薄いつながりの人を指す。

　ストロングタイに属する人たちが大切なのは当然だが、あなたの人生を変えるのは実はウィークタイだと知ったら、驚くだろうか？

　ウィークタイの人たちはあなたのことを知らない。ゆえに、先入観がない。
　一方でストロングタイの人たちは、あなたのことを良くも悪くも知りすぎている。
　たとえば、あなたが運動嫌いだと知っている人は、ランニングを

やろうと声をかけないかもしれないが、あなたをよく知らない人は、気軽に誘ってくれるだろう。

　習慣や行動、選択を変えることは、人生を変える。
　だからこそ、ストロングタイとの関わりを減らし、ウィークタイとの時間を増やしてみるのだ。
　初対面の人と進んで交流し、新しいコミュニティに飛び込んでみよう。

☑ 少しの勇気を出して、ウィークタイを増やそう。
　きっと、新しい情報や出会いがやってくる。

どんな人にも価値がある

　書店に並ぶベストセラー本の著者や、才能あるビジネスパーソン、そしてメディアで取り上げられる人たちは、主義主張を声高に言える人たちだ。

　彼らはおしなべて優秀で、行動力や決断力に優れ、大衆を惹きつけるカリスマ性もある。

　「無能なバカは相手にするな」「うざい奴は即ブロック」「俺の時間価値を考えろ」……たまにある強気なメッセージを見ると、私はつい、反発心を感じていた。

　上場させた企業の価値、売れた本の累計部数、年間販売した車の台数、ファンやフォロワーの数——確かに彼らは「数字」で測れる何かを持っている。

　では、数字で測れないものには価値はないのか？

　なんて憤りながら、弱者の味方でいる気がしていた。

　今思うと、「同族嫌悪」の感情だったんだと思う。

　なぜなら私も、仕事や反応が遅かったり、ウジウジして弱音を吐いたりするタイプをどうしても受け入れることができずにいたから。

　寛容にならないと、と自分に言い聞かせても、いざそういう人を前にすると心がざわつく。

　彼らのことを許せるようになったのは、自分がウジウジして、弱音を吐くようになったときだ。
　進むべき道を失い、人生に迷い、それまで許せなかった人に自分がなる。
　似たような状況に自分が置かれたとき、これまで受け入れられなかった人たちの痛みに気づき、こうした状況でも生きる価値はあると思えたのだ。

　明快な基準で社会がその人を評価しなかったとしても、その人に価値がないわけじゃない。
　どんな人にも価値があるし、その場に欠けてはならない。

　たとえば、会議で意見を言える人は貴重だ。
　でも、会議で意見を言える人と同じくらい、その意見に相槌（あいづち）を打つ人にも価値がある。
　人前で話したり意見を言うとき、誰かのうなずきに救われ、勇気を出して言葉を発せた経験がある人は少なくない。相槌だけでも、人を助けることができるのだ。

　巧みなアドバイスは人を勇気づけるが、ただ黙って隣にいるだけで、人を癒やし、力を引き出すことだってできる。

主義主張ができなくても、誰かに寄り添ったり、共感したり、相手を否定せず丁寧に話を聞ける人たち。彼らは目立たずとも誰かを支えている、大切な存在なのだ。

☑　もしあなたが人に認めてもらえない苦しみを感じていたら、まずは自分で自分の良さに気づこう。
　　誰にでも価値はある。

その人と一緒の時間を過ごしたいか

物理的な "ひとり" ではなく、「他の何かとつながっていない時間」となると、現代人には難しい。

ひとりの時間は誰かとのやり取りや SNS に忙しく、スキマ時間は映画やテレビ、ゲームなどの娯楽に侵食されてしまう。

一度、スケジュールに入っている誰かとの予定を見て、考えてみてほしい。

その人は、本当にあなたが一緒に時間を過ごしたい人だろうか？

スマホのアドレス帳を見てみよう。

本当にあなたが話したいと思える人だろうか？

周りを見渡そう。

本当に心動かされるもの、喜びで満たされるもの、胸が高鳴るもの、パッションがあふれ出してくるようなものに、あなたは囲まれているだろうか？

もし答えが「NO」なら、何かを変えるときだ。

どうして、ときめかない人間関係を結んでいるのだろうか？

どうして、心が踊ることのない生活を送ることを自分に許してしまっているのだろうか？

☑ 予定やスマホのアドレス帳を見て、「本当につながりたい人か？」と自分に向いかけてみよう。

ワクワクするような予定が入っているか？

「逃げられない人」から
逃げていい

　社会生活を送っていると、人間関係に悩むことがある。

　たまに会うくらいの人やオンラインだけでつながっている人なら、まだ対処できる。

　肝心なのは、「逃げられない」相手の場合だ。

　たとえば親や子ども、配偶者といった家族や親戚。

　会社の上司、ビジネスパートナー、お隣さんやママ友、お得意様など。

　彼らの振る舞いや価値観の違いから悩む人の中には、暴力や支配に苦しむ人だっている。

　私の友人は、離婚した元夫から執拗に攻撃を受けていた。

　結婚生活の不満をいつまでも引きずり、子どもを盾に取り、何かと嫌がらせをしてきたのだ。

　彼女のストレスゲージはいつも満タンで、仕事と子育てだけで精一杯だろうに、本当に頑張っていたと思う。

　まず、もし誰かから不当な扱いを受けているなら、あなたは逃げていい。

　一番大切なあなた自身を守ってほしい。何人たりとも、あなたを

傷つけたり、利用したりできる権利など持っていないのだから。

　彼らにはキッパリと意思表示をしよう。

　自分の境界線を踏み越えてくる人には、「これ以上はダメだ」という気持ちをキッパリ伝えてみる。
　そうすると、相手が態度を変えることはある。相手が絶縁してくるかもしれないし、憤るかもしれないが、少なくともこれまでの硬直した関係は変えられる。

　そうした意思表示が難しければ、逃げよう。
　どんなに近しい仲でも、「逃げる」ことはできる。
　関わりを完全に断つことまではしなくても、距離を取る、仲介者を入れる、転職をする、ビジネスを降りる、パートナーを変えるなど、今よりも楽になる方法は必ずあるはずだ。

　ある人が、嫌がらせをする人は「壊れたティーポット」なのだと表現していた。
　あなたの目の前に壊れたティーポットがあって、それに触れて手を切ってしまうようなものだ。自分を責める必要などない。

　あなたを苦しめてくる人は、もともと壊れているのだ。
　満たされない気持ちを、あなたを攻撃することで満たそうとしているだけ。

092

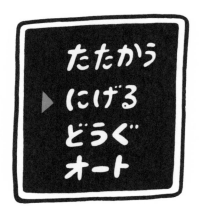

たたかう
▶ にげる
どうぐ
オート

「壊れたティーポット」が現れた

そこまで切羽詰まった状況ではない場合。たとえば何かと押し付けがましい人や口出しする人、過大な期待や要求をしてくる人。
　こうした人との関係は息苦しい。

　彼らからは、いつでも「逃げる」という選択肢を頭の片隅に置きながら、どこか別の場所に"シェルター"をつくろう。
　自分を受け入れてくれる人や、愚痴にとことんつきあってくれる人、くだらないことで笑い合えるような時間を過ごせる人を、他につくるのだ。

　気が合う人とだけつきあうと決めたら、心はずっと楽になる。
　あなたのことをわかってくれない人、尊重しない人とは、つながらなくていい。
　物理的に関わることがあっても、心は別の場所に避難させよう。

☑ 　自分を大切にして、悩ましい人間関係から遠ざかろう。
　あるいはシェルター的な関係を誰かと結ぼう。
　あなたを苦しめる権利は誰にもない。

第 4 章

常識とつながらない
7つの練習
ー 自分らしく生きる方法 ー

口コミやレビューを見ないで決める

　ネットの世界に限ったことではないが、「匿名」と「実名」は悩ましいテーマだと思う。

　巨大掲示板やTwitterなど、匿名で中傷やフェイクニュースが拡散される一方で、すべてが実名になれば万事解決するわけではない。

　なぜなら、「実名」には、その人自身のステイタスや立場が影響するからだ。

　「何を言うかではなく、誰が言うか」と言われるように、私たちは「誰が言ったのか」に敏感で、それが発信の説得力やパワーに影響する。

　街頭にグラフィティを描くストリートアート界の世界的アーティストであるバンクシーが、覆面アーティストでい続けるのは、「実名」の持つパワーをわかっているからなのではないか。

　もし、身元を明かしていたら、彼のメッセージは出自や民族などの文脈から語られ、彼の狙うメッセージは力を失ってしまうかもしれない。

　バンクシー展が横浜で開かれたときに、作品を見ながら、そんなことを考えたりした。

　かといって、「匿名」の情報には信憑性がなく、影響力がないわけではない。

　「食べログ」や「Amazon」は多くのレビュワーに支えられているが、その多くは実名では書かれていない。匿名だから率直な感想を書けるという利点があって、だからこそ信頼が置けるものもある。

　では、影響力のあるメディアや個人からの情報を鵜呑みにせず、かといって匿名の情報にも影響されない在り方は可能なのか。

　本書で提案している「情報は体感覚で選ぶ」（60ページ）、「『ハート』を羅針盤にする」（153ページ）はその答えなのだが、他にも実践しているワークを紹介したい。

　それは、「ガイドブックを持たずに旅行をする」「解説なしにアートを鑑賞する」「口コミやレビューを見ずに購入する（食べる）」というものだ。

　ガイドブックには、webの旅行記事も含まれる。

　こうした情報を抜きに、先入観なく街を歩いてみて、「美味しそうだ」と思ったものを食べ、「面白そうだな」と思った場所を訪れてみる。

　オーディオガイドや傍らの作品解説に頼らずにアート作品を鑑賞する。

　口コミやレビューを見ずに商品を購入したり、レストランに入っ

てみたりするのもいい。

　日常生活でこうした練習を重ねていくと、大多数の人が「美味しい」と言っても、自分は「美味しくないな」と感じてもいいと思えるようになる。
　逆に「面白くない」と言われる作品でも、自分の感性を信じて「面白い」と素直に感じられるようになるだろう。

　☑ レビューの点数に関係なく、面白そうなものや美味しそうなものを試してみよう。

誰がなんと言おうと、このドーナツは美味しい
（口コミサイトでは 3.0 だけど）

自分に合う方法は、自分に聞く

　健康や美容、ダイエットに関する新しい手法は、毎年のように生まれ、巷を賑わせる。書店のベストセラーの棚にはこうした本が並び、口コミで話題となる。

　しかし、万人に必ず効く治療法がないのと同じで、万人に必ず効果のある健康法やダイエット法は存在しない。

　たとえ100人中99人が「効果がある」と言っても、1人でも「効果がない」と感じている人がいるなら、「効果がある」のは決して真実ではないのだ。

　たとえば誰にとっても馴染みのあるテーマに、睡眠がある。

　平均では5〜8時間程度が理想的な睡眠時間とされるが、3時間でも十分な人だっているし、10時間以上寝ないと調子が上がらない人もいる。
「7時間前後の睡眠」が推奨されたかと思えば、「分眠」といって、連続した6時間以上の睡眠は身体の機能や筋組織にかえって悪影響があるとして、「5時間と2時間」など、分けて寝ることを勧める睡眠法もある。

　お昼寝（シエスタ）の習慣が社会に根付いている国もあれば、多くの人が寝ている深夜2時〜4時までの2時間が、本来人間にとって最もクリエティブに活動できる時間だとする主張もある。

　文化や視点が変われば、ひとつのトピックでもまったく違う世界があるのだ。

　私自身、以前は早寝早起きを頑張っていたが、日中どうも調子が出ない。

　仕方なく、仕事に支障がない程度に無理をしないスタンスへ切り替えると、早起きしようと気合を入れていた頃に比べて、ずっと楽に、アラームが鳴る時間よりも前に目が覚めるようになった。

　結局のところ、「自分に合う方法は、自分に聞く」ことに尽きる。

　一般常識や専門家の意見よりもまず、自分の身体や心に意識を向けてみよう。
「100人中の1人」になることを怖れずに。

☑ 自分に合った方法は、自分で決めよう。

ステレオタイプにハマらない

　人は多面的で、「この人はこういう人」と決めつけられないほど、様々な顔を持つ。家庭と職場では違うキャラクターになる人もいるだろうし、相手によってカメレオンのように話や態度を変えることは、ひとつの処世術だったりする。

　血液型別などの占いが、「どれを読んでも自分のことのように感じる」と思った人は多いと思う。
　勇敢な人には怖がりな面もあるし、テキパキして自立した女性が、ふと弱くて乙女な顔を覗かせたりもする。
　おっとりしていて自己主張しないようなタイプが、いざというときには芯が強く頼もしい面を見せることもある。

　その一方、バラエティー番組やドラマなどのマスメディアでは、出演者のキャラクターを「型にはめる」手法がよく使われる。
　その方が視聴者にとって覚えやすく、わかりやすいのは理解できるが、いくらプロの芸能人や芸人でも、複雑な気持ちになることもあるように思う。

　ドラマを見ていても、「女社長」「普通のOL」「熱血教師」「お局様」「おばちゃん」「出世欲の強い上司」など、それぞれのキャラク

ターが強調された役どころが多く登場する。

　どれも漫画のように（漫画原作もあるが）デフォルメされ、しかもたいていはよくあるようなキャラクターに仕上がっている。

　こうして私たちの「ステレオタイプ」はより一層強化され、知らず知らずのうちに人にレッテルを貼るようになるのではないか。

　私自身もその影響を受けていないわけではないが、なるべく人が表に見せる部分とは逆の部分、「裏側」を見るようにしている。

　強い人には弱さがあるし、その逆も然りだ。

　そうした点を本人に伝えると、とても嬉しそうな顔を見せてくれることがある。

　そして私も、私自身が意識していない面を指摘されると嬉しいし、自分で認める密かな部分をわかってもらえているようで、相手に深く感謝したくなる。

「あなたはこういう人」と決めつけられて傷ついたことのある人は、私も含めて決して少なくないはずだ。

☑ ステレオタイプにはめられて、悲しい思いをしたことはないだろうか？
　自分にレッテルが貼られても、それが本当のあなたではない。

結婚適齢期＝40歳

　マスメディアでは、人の名前に年齢がカギカッコで記されることが多い。

　年齢に注目し、若さがもてはやされるのは、日本ではとりわけ強い文化だと思う。
「若々しく見える」「美魔女」などの言葉で、実年齢よりも若く見えることへの評価は大きいし、女性たちも（最近では男性も）、若さや美しさを保つための努力は惜しまない。

　美しくあるための努力は素晴らしいことだ。
　でも、年齢に対する意識やステレオタイプな見方を変えなければ、女性たちはいつまでたっても、年を重ねていくことに対してポジティブにはなれない。

　そもそもこの数十年のうちに、戦争や不治とされた病で命を落とす人は減り、私たちの寿命は劇的に延びた。
　日本人は、男女ともに平均寿命世界一を誇る。
　どの年齢層の方も若々しく、実年齢よりもはるかにエネルギッシュだ。

かつては定年退職の年齢が 55 歳とされたが、現在は 60 歳。

　70 歳以上でも働ける会社は、30% 以上もあるという。

　実際、68 歳で定年を迎えた私の父はまだ働きたいと話すし、亡くなった祖父は 87 歳で他界するまで現役で働いていた。

　先日ラジオを聴いていると、70 代の某女優が今後の夢を語っていた。

　ずっと旦那さんと子どもの世話で忙しかったから、今後はひとり旅や海外留学に挑戦したいと、生き生きと話していた。

　素敵だなと感動した。

　これまでが「人生 80 年時代」だとしたら、今や「人生 100 年時代」。

　新しい時代に合うよう、年齢に対する意識や見方もアップデートしよう。

　そこで、人生の幅が延びたことに合わせて、自分の年齢に「8 掛け」することを提案したい。

　実際の年齢 × 0.8 ＝人生 100 年時代の年齢

　25 歳→ 20 歳

　30 歳→ 24 歳

　40 歳→ 32 歳

「もう40歳」から「まだ40歳」の時代へ

50 歳→ 40 歳
60 歳→ 48 歳
70 歳→ 56 歳
80 歳→ 64 歳

30 歳は、社会に出て 3 年目。

自分は何が好きで、何に向いているかを見極めるくらいでちょうどいい時期だ。

進む道を早く決めなければと自分を追い詰めず、様々なことにチャレンジし、経験を積みながら、じっくりと才能を見極めればいい。

40 歳は、転職や独立など大きな決断をする、また人生の伴侶<ruby>伴侶<rt>はんりょ</rt></ruby>を得るのにもいいタイミングだろう。最近ではこの年齢で結婚をしたり子どもを授かる人も増えているのは、「人生 100 年時代」の自然な流れだと感じる。

「独立するにはもう遅い」「晩婚」「35 歳転職限界説」といった従来の考え方を捨てて、新しい年齢意識を持ってみよう。

60 歳は「シニア」と言われる年齢だが、新しい年齢意識ではまだ 48 歳。

まだまだ好きなことはできるし、その力を社会に生かせる。

☑ 従来の年齢意識に縛られず、新しい年齢意識で生きよう。

「普通」の押しつけに
負けない

　子どもの頃から、「普通」への反抗心がある。

　普通の人、普通の暮らし、普通の人生。そして、普通の考え方に対して。

　大多数が「YES」なら、私はそれに「NO」と言いたい。

　普通に生きる人を否定したいのではない。

「この人生は普通で、それ以外は普通じゃない」

　そうやって他人からジャッジされ、評価されることが嫌だったのだ。

　世界を眺めてみると、こうした「普通」が暗に提示される。

　それは、「あなたは不完全である」というメッセージだ。

　もっと痩せなければ愛されない。若くなければ価値がない。今の稼ぎでは不十分だ。子どもは賢くなければ将来危うい——。

　無防備に街を歩くと、心のスイッチが押され、惨めさや焦りが反応する。

　自分を動機づけるのに、欠乏感や怖れ、不安を使うのはやめよう。

「自分は不完全である」という気持ちから起こした行動で、私たちが満たされることはないからだ。

「私にはいらない」
「私はこれでいい」
「普通かどうかは、自分が決める」
　今の自分で十分素敵だと、自分で自分を認めてあげよう。

　　☑　「自分は不完全である」という気持ちから頑張っていることはないか？

「踊り場の時期」は
怖くない

物事が思うように進まない。
頑張っているはずなのに、なかなか成果が見えない。

求めているのに新しい出会いがない。
やる気がなかなか起きない。
やる気が空回りしてしまう。

人間関係がしっくりこない。
これまでやっていたことに興味がなくなってしまった。

──あなたは、こうした時期を経験したことがあるだろうか？
今まさに、そんな状況にある人もいるかもしれない。

後戻りはできないけれど、かといって前にも進めない状況。
頑張っているのに結果が出ない、停滞感。

「一時停止」しているような時期は苦しい。
私にもこうした停滞期があった。
SNSをやめていた時期と重なり、当時の私は、やりたいことも
なく亀のような歩みで毎日を過ごしていた。

一方、友人たちは新幹線のような速さで日常を駆け抜け、華々しく活躍している。

　比較はしないと思っていても、妄想が止まらない夜はある。

　考え出すと止まらない。そんな日は、「これからどうなるんだろう」と猛烈な不安が押し寄せてきた。

　ただ、あるとき、この停滞感は「踊り場」なのだとわかった。

　踊り場とはその名の通り、階段と階段をつなぐ平らになっている場所のこと。下りるわけでも上るわけでもない、フラットな場所、合間の場所だ。

　階段に踊り場は不可欠だ。

　これがなければ構造はとても危ういし、高くつくれない。

　それと同じで、私たちの人生にも本体（人間）そのものを強くするための構造が必要ではないか。

　それが「踊り場の時期」であり、「停滞期」なのだ。

　どんなに苦しいことも、一時的なものにすぎない。

「人生ずっと下り坂」なんてあり得ず、必ず上がるときはくる。

　こうした時期をやり過ごせば、再び、目の前に階段（動き）が現れる。

　これは自然の摂理だ。

　もう少し小さなスケールでたとえれば、ダイエットにも、語学の

踊り場は成長するためのステップ

習得にも、物事の習慣化にも、「踊り場の時期」はある。成長曲線がしばらく停滞した後、あるときぐんと伸びることがよくある。

　たとえ先が見えない状況にあっても、これが「踊り場の時期」だと知っていたら、心に余裕が生まれないだろうか。

「踊り場の時期」はギフトでもある。

「他にもっといい経験があるから、今は新しいものがやってこない」
「もっと合う人がいるから、今は新しい出会いがない」
「もうすぐ忙しくなるから、今は強制的に休まされている」

　こうやって何も起きない、進まないのは、実はあなたに都合がいいことなのだ。

　グッドニュースは他にもある。
　この時期には、外側の世界で使っていた時間やエネルギーが自分に注がれるため、立ち止まっている間に、探していた答えが見つかったり、ひらめきが生まれたり、ネガティブな思い込みが書き換えられたりすることもあるのだ。

　今、あなたが「踊り場の時期」にいるのなら、それは新しい世界の際にいるということ。

　近い将来あなたは、踊り場を抜けて、新しいフロア（ステージ）
に辿り着くだろう。

☑️　「踊り場の時期」にいるのなら、次に見える景色を楽しみ
　に待とう。
　　そして、今の世界で安心して過ごそう。

人は過去から自由になれる

　私は小学校の高学年時代、いじめに遭った。

　靴を隠されたり、椅子に画鋲が仕込まれていたり、傘がトイレで折られていたこともあった。

　以前は一緒に遊んでいた友人たちが、一斉に自分を傷つけてくる現実は本当につらくて、家族からも学校からも距離を置き、精神的にひきこもっていた。

　ところが中学に入った途端、自分の新しい面が顔を覗かせた。

　風紀委員、学級委員、文化祭実行委員長など様々な役職に立候補したり、学級新聞をつくったりと、精力的に活動を始めたのだ。

　いじめに遭っていた小学生時代は暗い感情を詩に綴っていたが、中学になるとミステリー小説にハマって、ノートに推理小説を書くようになった。

　面白すぎて、ノートに鉛筆を走らせる手が止まらない。

　私は別人のように生き生きとした子どもに変貌を遂げたのだ。

　小学校の卒業式では浮かない顔をしていた自分が、ほんの１ヶ月後、こうして活動的になる。

　その経緯や変化のプロセスは何度思い出そうとしてもはっきりし

ないが、「中学校」という新しい環境が、私を強くさせたのかもしれない。

　しばらくすると、変貌を遂げた自分の周りに、過去に私がいじめられていたことを覚えている人がいなくなった。
　おとなしく、友達もおらず、学力も運動神経も冴えなかった私は、「リーダー格」で「行動力があって」、「明るい」キャラとして人に記憶されることになった。

　いじめていた当の本人たちも、覚えていないようだった。
　悪びれるとか、申し訳なさそうに接してくるわけでもない。
　無理にポジティブに振る舞って、そんな過去などなかったように見せているわけでもない。
　こうして仲良くなった彼らとは、現在でも、結婚式に招待してもらったり、お互いの家に行ったりと様々な交流が続いている。

　声を大にして言いたい。
　人は、自分の過去から自由になれる。
　過去、どんなに不本意な境遇にあっても、あなたはいつだって新しい世界で生きられるのだ。

　☑️　過去にどんなことがあっても、自分を恥じない、惨めに思わない。

第 **5** 章

ネガティブな感情と
つながらない
7つの練習
ー 穏やかに過ごす方法 ー

そのストレスはポジティブ？

　あなたが今いる環境で受けているストレスは、いいストレスだろうか？
　それとも、悪影響のあるストレスだろうか？

　ストレスには、あなたに対してポジティブに働くものと、ネガティブに働くものの 2 種類がある。

　たとえばプレッシャーという言葉にはネガティブな意味もあるが、ポジティブな表現としても使われる。重圧があるからこそ己を鍛えられるし、努力して乗り越えれば自信がつく、というように。

　ここでいうよいプレッシャーのようなストレスは、「ユーストレス」と呼ぶ。
　あなたにポジティブに働くストレスだ。

　一方、あなたを追い詰めるプレッシャーのように、人の心や身体を蝕むストレスもある。ネガティブに働くストレスは、「ディストレス」という。

　もし今あなたがストレスを感じているなら、それをストレスとし

て一緒くたにせず、「ユーストレス」と「ディストレス」、どちらに属するのか振り分けてみよう。

　たとえば今の自分の実力よりもレベルの高い仕事や、あなたよりも経験や実績が上回る人たちとつきあうことは、「努力」や「背伸び」が必要なユーストレスだろう。
　このストレスは、あなたを強くする。
　そうした仕事やつながりに不安を感じて逃げたくなる気持ちもわかるが、あなたの器を広げるいい機会と捉えて、ぜひ受け取ってほしい。
　今感じているストレスは、あなたの成長とともに心地よい刺激へと変わるはずだ。

　ディストレスなら、放置せずに対策をしよう。
　環境を変えたり、適切な人に頼ったりすること。また、心地よい時間や息抜きを自分に与えてあげよう。

☑️　あなたの感じているストレスは、「ユーストレス」か「ディストレス」のどちらなのか振り分けてみよう。
　「ディストレス」なら、「『くだらない息抜き』をする」(128ページ)、「心地よい時間を持つ」(150ページ) が参考になるだろう。

起こるべくして起こることには 目を向けない

「人生の浮き沈み」という表現がある。

だが、自然界に目を向ければ、こうした「浮き沈み」は単なる「移り変わり」だということに気づかされる。

春夏秋冬。季節の巡りは自然の摂理で、その変化を私たちが止めることは決してできないように、私たちの人生の波も、思い通りにコントロールすることはできない。
起きるべきことは起きる。長生きしたくても、私たちには必ず寿命があるように。

ただし、私たちがコントロールできるものがある。
それは、「心の波」だ。

人生の波には手を出せなくても、私たちは自分の心にはアプローチできる。
出来事や人に対する感情的な反応は、自分で選べるもの。
どんな目に遭ったとしても、そこで惨めな気持ちになるか、前向きに立ち直るかは、自分の選択だからだ。

「我慢して、ポジティブでいろ」というのでは決してない。

　望まない出来事や人に対するネガティブな感情は、単なる「反応」だ。

　嫌な気持ちは湧き上がってもいい。

　でも、そこからどの感情を選択するかは、一呼吸置いた上で、自分のために、自分で決められる。

　言い換えれば、人生の浮き沈みは、本当は「心の浮き沈み」なのだ。

　どんなに大変な目に遭っていても、どこ吹く風でいられたら、幸せに生きていける。

　逆に、周囲が羨むような人生を生きていても、当の本人が幸せを感じられていないのなら、それは幸せとは言えない。

「人生の浮き沈み」は、そのまま、起こることを許そう。

　代わりに「心の波」に目を向けて、できる限り、穏やかな波へと変えていこう。

　☑「心の波」はコントロールできる。

「くだらない息抜き」をする

　仕事帰りの人でごった返す駅のホームや電車内で、疲れた人を見かける。

　重そうな鞄を肩から提げて電車を待つ男性や、緊張の糸が切れたように座席にもたれかかって眠る女性。

　こうした人を目にすると、「お疲れさま」と心の中で労いの言葉をかけずにはいられない。

　同じ今日を生きる人たちへ、「お互い、今日も頑張ったね！」と、思わずエールを送りたくなる。

　ビジネスの現場では、「生産性を上げること」「効率的に時間を使うこと」が重要とされるが、「休むこと」や「遊び」、「くだらない息抜き」だって、同じくらい大切だ。

　エイブラハム・マズローが名づけた「コウスティング（退行現象）」という言葉がある。これは、私たちが知的な活動を続けていくために必要な「息抜きや活力を得るための行為」のことを指す。本来は、自動車がアクセルを踏むのをやめて惰性走行する、飛行機がエンジンを止めて滑空するという意味で、そこから転じて人間の「退行現象」を表すようになった。

128

朝から晩まで働いた後、お酒を飲んで羽目を外すこともコウスティングだし、プレッシャーの大きい仕事に従事している人が、週末は釣りを楽しむのもコウスティングだ。

　もちろん、"無駄""くだらないこと"でもOKだ。

　高尚<ruby>高尚<rt>こうしょう</rt></ruby>で難解な映画ばかり見続けたら親しみやすい映画が見たくなるし、健康に良い食べ物をしばらく食べたらファストフードが食べたくなるのと同じ。

　B級グルメも、惰眠<ruby>惰眠を貪<rt>むさぼ</rt></ruby>ることも、漫画も、サウナも、バラエティー番組も、大切な息抜きになる。

☑️　あなたがリラックスしたり、息抜きできたりすることは何だろうか？　すり減った神経を回復させる時間を持とう。

言葉にならない気持ちに言葉を与える

　気持ちが落ち込んだとき、誰かの投稿を見てますます気持ちがふさぎこんでしまった経験はないだろうか？

　やりがいのある仕事をしている誰か、幸せな家庭を築いている誰か、おしゃれで洗練された豊かな生活を楽しんでいる誰かに対して。

　こうしたもやもやとした気持ちが湧き上がってきたときこそ、自分と向き合うチャンスだ。

　「フォーカシング」という心理学用語がある。

　アメリカのジェンドリンという哲学者・カウンセラーが体系化した手法で、カウンセリングの際に効果が現れる人と、そうではない人たちの差は何かをつきとめる実験から生まれた用語だ。

　その実験の結果、カウンセリングで効果が現れたクライアントの共通点は、「自分の心を表現する言葉を、丁寧に探っている」だった。

　ときに言い淀みながらも、自分の悩みや感情を的確に表現する言い回しをなんとか探ろうとしているクライアントは、早く立ち直ることができたのだ。

一方で、カウンセリングをしても一向に変化が現れないクライアントは、「悲しい」「怒っている」など強くはっきりした感情だけを訴え続け、その感情を深く探ろうとしていなかったという。

　実験結果を元に、ジェンドリンたちは、「何かはっきりしないが、漠然と身体が感じる感覚」というものを「フェルト・センス」と名づけた。
　体が感じる感覚とは、足をぶつけた痛みのような身体的な感覚ではなく、心理的な要因がもたらす感覚のことを指す。
　たとえば気がかりなことがあるときの胃の重苦しい感覚、締め付けられるような感覚などだ。

　誰かの投稿を見て感じるもやもやは、言葉にならないフェルト・センスだ。

　大切なのは、このもやもやした気持ちにフォーカシング（焦点を当てる）して、言葉にならない身体の感覚に言葉を与えること。
「面白くない」「イライラする」といった強い言葉で片づけず、せっかく現れてくれた自分の感情と、丁寧に向き合おう。

　もやもやを深く探ってみよう。
　本当は何と言いたいのだろうか？

その「もやもや」に名前をつけよう

「この人は周りにいつも認められて、しかも経済的にも豊かな生活を送っている。それに対して私はこんなに頑張っているのに、自分のことを惨めに思うし、私にはそんな生活を送るような価値はないって悲しくなる」

フェルト・センスに寄り添ってあげると、ふと「しっくりくる表現」がひらめくことがある。

自分の中にあるもやもやとした気持ちに言葉を与え、はっきりと認識できたとき、まるで「これだ！　私が感じていたのは、これだったんだ！」と解放感を味わえるのだ。

この現象は「フェルト・シフト」と呼ばれる。

丁寧に気持ちと寄り添い、感情に適切な言葉を与えよう。

コツを摑めばネガティブな感情を手放しやすくなり、あなたの心はずっと軽くなる。

① 感情にフォーカシング（焦点を当てる）する
② フェルト・センス（もやもやした感情、根っこの感情）に言葉を与える
☑ ③ フェルト・シフト（解釈）する

3つのステップで、感情を上手に手放そう。

「100％確信が持てるもの」を考える

　目の前に、あなたを悩ませる問題や、叶わない願いがあるとする。

　これまでのあなたは、問題や願いを四六時中考え、対処するために行動したり、一層の努力に励んだりしただろう。

　過去にあったことを思い出してほしい。

　満足のいく結果は出ただろうか？

　私がおすすめする新しい解決法は、問題や願いは一旦脇に置いて、代わりにあなたが「100％確信の持てること」を考えることだ。

　ちょっとしたことでいい。

　それがあなたを悩ませる「問題や願い」とつながらない練習になる。

　たとえば、「カレーは美味しい」「赤ちゃんは可愛い」「猫は癒やされる」「大自然は感動的だ」「部屋の居心地は最高だ」というような、シンプルなもの。

「問題や願いに無関係」で、「100％確信を持って」口に出せたり、考えられたりするものだ。

もし、「部屋の居心地は最高だ」と考えたとき、少しでも違和感やひっかかりを感じたら、別の言い回しを思い浮かべてみよう。

　こうして疑いようのないことだけを話したり考えたりすると、その100%ポジティブな確信が、別の分野——あなたが抱えていた問題や叶わない願い——にまで伝播していく。

「自分が信じられるもの」だけを考え、口に出してみよう。

☑️ 1週間、問題や願いを膜に置いて、「100%確信が持てるもの」だけを考えてみる。

1日に何度も自分に投げかけたい「魔法の質問」

　朝の情報番組で「今日のラッキーフードはりんご」と聞いたら、日中自然とりんごが目に入った。「青い車」が気になったら、街中で次々と青い車を見かけた。

　こうした経験は、あなたにもきっとあるだろう。

　ある特定のものを意識し始めると関連情報が自然と目に留まりやすくなる心理効果を、「カラーバス効果」という。

　週1回のパーソナルトレーニングに行く途中、電車内で急にある習い事が気になったことがある。
　降車後、駅からジムまで歩いていると、看板が目に飛び込んできた。
　その看板こそ、気になっていた習い事の学校のものだった！
　毎週通っていたにもかかわらず、それまで看板はまったく目に入らなかったのにだ。

　人にはこうして、自分が見たいものに意識を向ける性質がある。

　この「カラーバス効果」を、日常生活に応用してみよう。

　たとえばあなたが今、イライラしていたり、疲れたなぁと感じているとする。

　そんなときは、今から伝える簡単な質問を自分に投げかけてみよう。

「今何をしたら、一番気分がいいだろう？」

　これは好ましくない流れをリセットして、新しい流れを呼び込むための「魔法の質問」だ。

　下線部分は「心地よい」「楽しい」「面白い」など、他のしっくりくる表現に換えてもいい。

　質問することよって、目に留まったり、ひらめいたりするものはあるだろうか？

　もし思いつくことがあれば、それをやってみよう。

「カラーバス効果」は、人間関係や仕事にも応用できる。

　苦手だと感じる人や自信のない仕事に当たったら、ここでも「魔法の質問」を自分に投げかけよう。

「好ましくないもの」から「好ましいもの」へと意識の焦点をずらすのに、この心理効果を使うのだ。

「Aさんの素敵な面はどこだろう？」

「この仕事に自信を持って取り組むためには、一体どうしたらいい

だろう？」

　これらは、好ましくない流れを断ち切り、自分をポジティブな状態へシフトするための、強力なセルフトークになる。

　☑ あなたは今何をしたら、一番気分がいいだろう？

怒りと情熱の根っこは同じ

　怒りや悲しみを進んで味わいたいという人は少ないだろうが、ネガティブな感情を怖がり、できるだけ感じないようにして生きていると、ある困った現象を引き起こす。
　ネガティブな感情を感じない代わりに、喜びや幸せ、満足感といったポジティブな感情も感じにくくなるのだ。

　心を麻痺させてしまえば、苦しみは感じにくくなる。
　でも、喜びも幸せも感じられないとしたら、どうだろう？

　穏やかだけれど、特に何も起こらず、似たような日々。
　自分の才能を発揮することもない平凡な人生。

　ときには逆風も試練と感じることもあるけれど、変化と成長に富んだ日々。
　自分の才能を発揮していく人生。

　あなたなら、どちらの人生を生きたいだろうか？

　ネガティブな感情は不快だが、決して悪者ではない。

怒りと情熱の根っこは同じ。

不安とときめきの根っこも同じだ。

これらの感情は表裏一体で、怒りは夢への情熱として使いこなすことができるし、不安は未来へのときめきとして使える。

一度きりの人生。どんな感情も許してみよう。

そして、怒りも惨めさも喜びも幸せもめいっぱい感じる、人間らしい心で生きよう。

☑　今、怒りや不安を感じていることを紙に書き出そう。

第 6 章

ハートとつながるための
7つの練習
― 毎日がときめく方法 ―

未処理のものを片づける

　流れを変えたい気持ちが高まると、急に部屋を片づけたくなる。

　思い立ったら吉日と、クローゼットから洋服をひっぱり出して、しっくりこないものを処分する。

　極端にリセットしたい気分のとき、ただでさえ少ないワードローブの8割を捨てたこともあった。仕方がないので文字通り"一 張羅"でしばらく過ごすのだが……。

　ある日、自宅に1通の葉書が届いた。

　それは大学時代につくったクレジットカードの年会費支払い催促の通知で、しばらく使用していなかった銀行口座から引き落としができず、納付書が届いたのだった。

　この催促が届くまで、そのクレジットカードのことをすっかり忘れていた。大学卒業時に何となく契約したまま、一度も使わず、年会費だけを払い続けていたのだ、20年近くも！

　急いでコンビニで支払いを済ませ、コールセンターに電話して、退会手続きを完了した。

　「いつかやろう」と思って放置したままだと、意識のどこかにある「気がかり」は、少しずつ自分の「ガソリン漏れ」を起こす。

　だからこそ、未処理のものは一気に片づけるといい。

　面倒な気持ちが高まる前に素早く動くと、最初に手をつけたことが着火剤となって、次々と未処理のものに着手することができる。

　1年以上経ってしまった神社のお札やお守りの返納。
　滅多に使わないパソコン用デスクの処分。
　何年も前からやろうと思っていた、会社法人の解散という "大物" の手続き。
　勢いに任せて片づけていくたび、ガソリン漏れを起こしていた穴が塞がり、パワーがみなぎってきた。そしてすべてが片づいたとき、何とも清々しい気持ちになった。

　あなたには今、「未処理」のものがないだろうか？

　払込用紙や請求書の処理。捨てるタイミングを逃してしまった燃えないゴミ。思い立ったはいいが、業者に連絡しないままでいた部屋のリフォーム。細々としたものまで含めれば結構あるものだ。

　この項を読んで思い出したものがあれば、今すぐやろう。
　あるいは、スケジュール帳を開いて、「未処理のものを片づける日」を予定に書き込もう。
　何かひとつ処理するたび、あなたはパワフルになっていく。

☑　未処理のものをリストアップして、手がつけやすいものから片づけていこう。

149

心地よい時間を持つ

「心地よさ」を、自分に与えてあげよう。

そのためには、あなたの「五感」を喜ばせるといい。

美味しいものを食べて「味覚」を、肌触りのいいもので「触覚」を、いい香りのものを嗅いで「嗅覚（きゅうかく）」を、美しい景色やアートを眺めて「視覚」を、そして好きな音楽や動物の可愛らしい鳴き声を聴いて「聴覚」を、存分に楽しませてあげよう。

　私の周りで「家庭菜園」にハマる人や、「自家製パンづくり」に凝り始めた人がいる。

　土いじりをしたり、生地をこねたりすると、その感触（触覚）で癒やされるのだそうだ。

　大好きな香りのアロマオイル。
　揺らめくキャンドルの炎。
　お気に入りの入浴剤。
　愛する子どもやペットとのスキンシップ。
　コーヒーを丁寧にドリップして飲むのもいいだろう。

　五感を軸にあなたが心地よくなるポイントを、たくさん見つけて

与えていこう。

　心地よさに目を向けていくと、だんだん「心地よくないこと」に敏感になってくる。

「心地よさ」を自分に与え、自分を大切に扱うことによって、あなたが本当は感じていることが露になるのだ。

　波長が合わなくなる友人や、居心地が悪くなる職場などの環境の変化も表面化してくるだろう。
　以前の自分はどうしてこの人間関係や環境の中にいたのか、とびっくりする人がいるかもしれない。

　こうした人間関係や環境と距離を取るのか、それとも新しい関係（環境）を目指すのか。答えは「ハート」に聞いてみてほしい。

「心地よさ」を自分に与え続けていくと、あなたはハートに耳を傾け、答えを出せるようになる。

☑️　あなたの五感が喜ぶことを自分に与えよう。
　心地よさに慣れたとき、「心地よくない」と感じる人やものはあるだろうか？

「ハート」を羅針盤にする

　本を書くのに、ホテルを書斎代わりすることがある。

　知らない街に大抵1週間、長ければ2週間くらい滞在しながら、原稿に行き詰まると気分転換と運動を兼ねて散歩をするのが楽しみだ。

　これまでは気になるお店やカフェなどを事前に調べて、Google Maps を頼りに歩いていたが、ある日、ふと思い立って「実験」することにした。

　地図は見ず、自分の「ハート」を羅針盤にして歩いてみたらどうなるのだろう、と。

　スマホはホテルに置いたまま、身ひとつで外に出る。目の前に広がるのは、ほぼ知らない街だ。

　かろうじてわかるのは、繁華街がどこにあるのか、駅がどの方向にあるのかくらいで、私はこの場所ではまったくの余所者である。

　前へ進むか、右に曲がるか、左へ行くか。

　頭では「あっちのほうがお店がありそう」と考えても、心が反応しないことがよくある。真っ直ぐ進んだ方が良さそうでも、ハートは左に行きたいと反応する。

「こんな道、何もなさそうだけど……」と思いつつ歩いてみると、静かな住宅街に忽然と素敵な喫茶店が現れたりする。それが面白いのだ。

当然、ほとんどの道は一本道ではない。交差点でいちいち立ち止まるので時間はかかるし、通行人の邪魔にならないような配慮も必要だ。

けれども、もし「道端で立ち止まってキョロキョロしたら、周囲から怪しく思われないか」というようなノイズが入ってしまうと、遠慮や焦りから、ハートの声がわからなくなってしまう。

最初は「右」だと思ったのに「やっぱり左」とするのは、「思考（頭）」の判断だ。

こっちの方が得だろう、良いだろうという、これまでの経験からくる"ジャッジ"なのだ。

思考が優位になると「こっちがホテルに近いはずだ」と操作が入るし、何度も答えを確かめようとしてハートの反応を見失ってしまうだろう。

ハートの声を頭で打ち消さないよう、まずは思考を鎮めて心を落ち着ける。

そして、自分のハートに、どこに行きたいのか丁寧に、丁寧に訊く。

「最初に感じる反応」を採用しよう。

「右に行きたい」とはっきり思いつくこともあるし、行きたい方向を見やるとハートがぽかぽかと温かく反応することもある。

「温かい」「ときめく」「視界がパァーッと明るくなる感じがする」「身体がゆるむ」「リラックスする」「ウキウキする」——こんな感覚がするなら、それはハートからの答えだ。

☑ ハートを羅針盤にして、知らない道を歩いてみよう。
　そして反応するままに右へ左へ曲がってみよう。

心の底から食べたいものを食べる

　ハートを羅針盤にする練習をするのに、日常レベルで取り組みやすいのは、毎日の食事だ。
「何を食べるか」を、ハートで決めるのだ。

　たとえば、社員食堂や外食で。帰り道のスーパーで。ウーバーイーツを頼むとき。
　ひとつひとつのお店や食材をじーっと眺めながら、

「どのジャンルの料理が食べたいか？」
「どのお店にするか？」
「どの食材を選ぶか？」
「ドリンクやデザートは頼むか？」

　まで、丁寧に自分に聞いてみよう。

　最初はいつもの倍以上の時間がかかるだろうし、ハートが出す答えに戸惑う人もいるだろう。私もそうだった。

　ある日、ウーバーイーツでお昼を注文するのに、ハートを羅針盤にして選ぶことにした。

結果、選ぶのにいつもの４倍以上時間がかかり、しかも意外な料理が目の前に並ぶことになった。

　思考から来る予測に反して、お気に入りのお店はスルー（無反応）。
　食べたことのないお店の、知らないメニューに、ハートが温かく反応した。
　しかも、「パンケーキ」と「タピオカドリンク」という、嫌いではないが特に好きでもない料理に。

　ハートの反応に面食らった私の思考は、「お昼に甘いもの２つはマズイのでは」「せめて野菜を摂った方が」と、すぐに打ち消しにかかった。
　が、ハタと気づいた。

「野菜を摂ったほうが身体に良い」
「甘いものは食事にふさわしくない」
「私がパンケーキとタピオカを選ぶのはおかしい」

　という反応こそ、「思考による自分への説得」だと！

　結局、ハートを羅針盤にする練習だからと、最初に反応したパンケーキとタピオカドリンクを注文。
　食べ終えた感想は「まぁ普通」で、味も「想定の範囲内」だった

が、ハートの反応は明らかにこれまでと違った。

　自分への不満や要求がまったくない状態、とても静かな落ち着き。
　幸せな感覚にしばらく包まれた。
「ハートが満たされるって、こういう感覚なんだ！」と感動するレベルだった。

　ハートの反応は、思考からすると予測がつかない。
　それは、「頭と心がちぐはぐ」だったから。
　ハートを羅針盤にする練習をしていくと、頭と心の距離もちゃんと近づく。

　思考を鎮めてハートを使うようにすると、その期待に応えるかのように、ハートは活性化する。最初は答えを出すのに長い時間がかかっても、いずれ素早く反応を返してくれるようになる。
　ハートの言う通りに行動すると、ますますハートは明快な答えをくれる。

　こうしてポジティブなスパイラルができ上がって、ハートと自分が、ますます仲良しになるのだ。

☑️　ゲーム感覚で、ハートと対話をしよう。
　　今日食べるものをハートの反応で決めてみよう。

159

心に正直であれば、
うまくまとまる

　以前、バリ島に住んでいた友人と一緒に、ジャカルタで講演会を
やろうと盛り上がったことがある。

　友人が登壇者で、私が主催者。当時の私は海外で講演会をやりた
いと思っていた。

　場所はシンガポールか香港が本命だったが、彼女が住むインドネ
シアなら、海外講演の主催が未経験の私をサポートできるというこ
とになったのだ。

　まずは行動と、友人とリサーチや下見を兼ねてジャカルタへ。

　ところが、現地で様々なことがわかった。

　ジャカルタには日本のような手軽な会議室やスペースが少なく、
イベントとなると高級ショッピングモールやホテルなど、それなり
の広い会場になる。演出だって必要だ。

　すると予想以上に経費が膨らみ、会場を埋めるだけの集客の目処
も立たない。

　どう考えても大赤字だった。

　できないものをできると見栄を張っても仕方がない。

　協力してくれた彼女には申し訳ないが、悩んだ末、正直に「でき
ない」と伝えたところ、ピロンと彼女のスマホが鳴った。メールが

届いたお知らせだった。

　開いた瞬間、友人がアッと声を上げた。
　メールの送り主はジャカルタ在住の女性起業家で、なんと、友人にシンガポールで講演をやってほしいという。

　友人も私も、ジャカルタにいることは周囲に知らせていない。
　にもかかわらず、わずか数日間の滞在中に、ジャカルタ在住の人から講演会のオファーをもらったことになる。
　しかも本命の、シンガポールでの講演を！

　講演を主催する上での金銭的リスクを負わずに済むだけでなく、私も友人と一緒に登壇することになった。
　すべてがお膳立てされていく不思議な流れを感じて、**驚きと興奮**に思わず震えた。

　もしあのとき私が、本心は「NO」でも安請け合いしてしまっていたら、金銭的な負担がのしかかるだけでなく、集客も厳しく、関わる人に迷惑をかけたと思う。
　かといって、リサーチや下見をしないまま諦めていたら、この一連の流れを受け取ることはできなかった。

　その年のうちにシンガポールでの講演会が開かれ、現地の人も参加して盛況のうちに終わった。

日本から友人たちも駆け付けてくれて、プライベートの旅行も兼ねた、本当に楽しい時間になった。

　この不思議な体験から学んだことがある。

　そのときにできる最大限の行動をすること。
　そして、心に正直であることだ。

☑ どうせ無理だと投げ出さず、できるところまでやってみよう。
　　すると、新しい扉が開かれるかもしれない。

ひとり合宿で「自分と2人きり」になる

　古来よりネイティブ・アメリカンの種族の男子に伝わる、子どもから大人への通過儀礼「ヴィジョン・クエスト」。

　彼らは一定の年齢になると、森や山に身ひとつで入っていき、飲まず食わずで、何日間も野ざらしで過ごす。

　その目的は、人生の使命を発見すること。過酷な環境に身を投じるうちに、この世に生まれた意味、意義を突然知ることがある。

　自分の使命を知ることが、彼らにとっては「成人する」ことなのだ。

　このエピソードを知って、自分を知る機会になるのでは、と現代版「ヴィジョン・クエスト」を思いついた。

　名づけて「ひとり合宿」。

　ひとり合宿とは、金曜夜に仕事が終わったらそのままの足でホテルにチェックインし、月曜の朝そのままホテルから出社するという3泊4日の"ツアー"。

「ひとりで過ごす、まとまった時間」が最も大切なので、少なくとも1泊以上、移動に時間を使わないように、会社や自宅近くのホテルに泊まるのがおすすめだ。

今月の家計、営業のノルマ、子どもの養育や、気がかりな同僚との関係。

　これらを一旦頭から追い出して、自分のために時間を使おう。

「自分と2人きり」になるのだ。

　ひとり合宿中は、スマホの電源を切るか、機内モードに。

　食事はホテルのルームサービスや出前をとるか、外で買ったお惣菜などを持ち込もう。

　何にも邪魔されない時間と空間を確保することが大切だ。

　ひとり合宿の目的は、「自分を知る」こと。

　特定のトピックを決めて、本音をじっくりと探るのがいい。

　たとえば今後のキャリアプランや、ビジネスパートナーや夫婦など特定の人間関係について。現状の何に幸せを感じていて、何が幸せではないのか。

　ノートとペンを準備して、自分の本音と対話する作業を続けてみよう。

　また、「感情の浄化」をするのにもまたとない機会だ。

　誰かと同居している人にとっては、自宅で泣くことは難しい。

　ホテルの部屋で泣ける映画や動画を観たりして、他の宿泊客に配慮はしつつも、思いきり泣こう。

今日はとことん話し合おうじゃないか。私とわたしで

溜め込んでいた感情を解放すると、気持ちがスッキリすることに感動するだろう。

　そしてあなたは、新たな日常に戻っていくのだ。

☑ 「ひとり合宿」の計画を立てよう。おすすめは金曜夜から月曜朝までの3泊4日。難しければ1泊2日にするか、ホテルのデイユースプランを活用しよう。

動物は「無条件の愛」を
教えてくれる

　私の実家には、たくさんの猫がいる。保護猫が1匹、また1匹と増え、多い時期には8匹いた。
　私も飼いたかったが、国内外含めて出張の多い自分には無理だろうと、半ば諦めていた。

　ところが、当時の恋人との関係に悩んでいた時期のこと。
　気持ちに整理がつき、前向きに関係を精算しようと決めた途端、急に、「猫を家族に迎えよう」と思い立ったのだ。

　それは衝動というよりも、「確信」と呼ぶべき感覚だった。
　一度だけショーウィンドウを覗いたことがあるペットショップを思い出して、「必ず家族になる猫がいる」と感じた。
　そして1時間後、タクシーで猫を連れ帰ったのだった。

　帰宅途中、車内の窓から渋谷の街に大きくかかる虹を見て、この確信は間違っていないと納得したのを思い出す。

　人生のあちらこちらでつまずいて、すっかり傷だらけになっていた当時の私は、その猫にどれだけ救われただろう。恋人との関係も精算でき、笑顔になる回数が格段に増えた。

あれから一緒に生活する猫は、私にとってかけがえのないパートナーだ。

　動物と暮らし始めて学んだことは、「無条件の愛」だ。
　ただ元気に過ごしてくれたらいいと思える存在であって、決して「働いてほしい」「言うことを聞いてほしい」などと期待はしない。
　相手が人間だと、たとえ愛する我が子でも、いや我が子だからこそ、「期待」が生まれるものだろう。

　無条件の愛を感じるとき、自分から発せられる愛は一方通行ではない。
　自分自身にもちゃんと愛は向けられている。

　動物を見て感じる優しくて温かな気持ちを、全身で味わってみよう。

✓　ペットショップや動物のいるカフェ、動物園に出かけて彼らと触れ合おう。
　動画や映画、写真集でもいい。そして愛の感覚に浸ろう。

第 7 章

本当に大切なものと
つながるための
6つの練習

― 力強く進む方法 ―

子どもの頃の「好き」を
思い出す

　数年前に香水ブランドを立ち上げ、調香師兼経営者として活躍している友人が、青山にサロンをオープンしたと聞いて、先日お祝いを兼ねて訪れた。

　閑静な住宅街にあるそのサロンは、小さなパティオのある一軒家。

　大きな窓の外はまるで南国のバリ島を思わせる深い緑が生い茂り、午後の柔らかな陽が差し込んでいた。

　部屋の一角には調香するためのデスクと、びっしりと香水が陳列された棚があった。聞くと、15歳から香水を集めていて、そのコレクションの一部を公開したのだという。

　大小様々な美しいビンたちを眺めていると、彼女が本当に香水を好きなのが伝わってきた。

「好き」という気持ちは偉大だ。

　あなたにも覚えがないだろうか？

　子ども時代、遊びに何時間も夢中になったことを。

「忘我の境地」へ連れて行ってくれた、大好きなモノたちのことを。

　私は小学5年生で「書く」ことを始めた。

　B5サイズのリングノートに思いつくまま、詩を書くようになった。

　詩を書き始めた頃の私は、つらい時期にいた。

　包丁を持ち出し精神的に追い詰めてくる担任と、クラスメイトからのいじめ。

　毎朝起きて学校に行くだけで精一杯だった。

　子どもの頃の私は、何をするにも人よりもワンテンポ遅く、特に人の会話に加わることが苦手だった。

　何か言おうとしても、言葉がスムーズに出てこない。

　不器用な自分がもどかしかった。

　そんな私が中学生になると、友達ができた。

　塾でノートに小説を書いていることが見つかったのがきっかけだった。

　同じ学年の、クラスは違う女の子3人。

　文章やイラスト、漫画など得意分野はそれぞれで、みんなで創作活動をしようと盛り上がった。

　それぞれの作品に共通して登場する主役と準主役の名前と性別だけを決めて、あとは自由に創作することにした。

　私が選んだのは、当時から大好きだった推理小説の創作。

授業中、先生にバレないよう、机に立てた教科書にノートを隠し、ひたすら物語を書き進めていった。叱^{しか}られても凹^{へこ}まなかった。

　そうして完成した、コクヨのノート3冊分の小説。
　友達や周囲の大人たちに回し読みされていく喜びはひとしおで、作品を完成させた自分のことを誇らしく思えた。
　心を慰めるために始めた「書く」ことは、気の合う友達と、大きな喜びを連れてきてくれたのだ。

　親や先生、世間の発言や"常識"に影響されるにつれ、「好き」のパワーはどんどん萎んでしまう。

　だからこそ、それが稼げるのかどうか、人と比べて普通なのかどうか、人から褒められることなのかどうかという計算が働く前の、15歳頃までの自分を思い出そう。
　その頃まで好きだったことには、あなたの「忘我のスイッチ」がある。

　☑️ 子どもの頃に夢中になったことを思い出そう。

自尊心を育むレッスン

　女性は、毎月の生理に加えて妊娠や出産、更年期などを経験するが、これまでは、こうしたことをおおっぴらに話すのはタブー視されていた。

　会社に生理休暇制度があっても男性上司に言えず、通常の欠勤扱いにする女性社員は多い。「初潮が来たら赤飯で祝う」風習はセクハラだと、SNSで賛否が巻き起こったことも記憶に新しい。

　自分の身体にまつわることなのに、世の中ではセンシティブな話題として扱われることに、少なからず葛藤を抱えてきた女性も少なくないのではないか。

　そんな中、ここ数年、女性の身体の悩みをテクノロジーで解決する「フェムテック」の商品が話題を集めている。駅ナカにあるようなお店でも専用のソープやクリームのブランドが並ぶ。

　こうした話題がオープンになる流れとともに、私も、周囲の女友達から「デリケートゾーンのケア」にまつわる情報を聞くことが増えた。

「デリケートゾーンのケア」で勧められたのは、「脱毛」「専用ソープやクリームでのお手入れ」「膣ケア」の3つ。

175

脱毛の広告は、季節を問わず目にするほど活況だし、40代女性のデリケートゾーンのケアが増えているという。

　意識が高まる中、老後を見越して始める人もいるそうだ。

　実際に友人たちとの会話で話題に出してみると、脱毛を完了した人が何人もいて驚く。

　興味が湧いたので、私も1年間コースでVIO脱毛（デリケートゾーン脱毛）に通ってみることにした。

　お手入れ法にも様々あり、「腸活」ならぬ子宮の「温活」や、入浴後にデリケートゾーンをクリームやオイルで保湿したり、マッサージしたりすることもある。

　加齢とともに筋力は衰えていくため、骨盤の周りの筋肉を鍛えることは意識していたが、「膣トレ」や膣のマッサージにはかなりの勇気がいった。

　自分の身体の一部分なのに、あまりにも無知なことを痛感する。

　途中で怖くなってやめる、を繰り返し、ケアするまでにかかった期間は2年。

　やっとケアするというとき、なぜか涙が出そうになった。

　自分の身体なのに見向きもせずごめん、怖がってごめん。

　何も知らず、見ようともせず、それでいて病気にならないでほしいと願っていたのは、なんて身勝手だったのだろう。

　大切な部分はとても温かく、私をまるごと受け入れてもらえているような感覚があった。

　同時に、私も含めた周囲の女性たちが、自分の身体をケアをするようになった理由が、深い部分で理解できたように思えた。

　ケアするのは単に健康のため、身体の悩みを解消するためだけでなく、私たち女性の自尊心を回復する行為なのだ。

「自分を愛する」というありきたりな表現があるが、具体的にどうすればいいのかわからない。

　そんな抽象度の高い言葉にはない、リアルな「慈しみ」がここにはある。それが多くの女性たちの心を打つのではないだろうか。

　女性の価値は移ろいやすい。

　でも、本来はそうではないはずだ。

　若さや美貌、男性に愛されることが女性としての価値や幸せだとするのは、もうやめたい。愛されようと頑張ったり、自分を犠牲にしたりするのはもうやめようじゃないか。

　それよりも、自分自身が自分を愛し、労ってあげる。

　自尊心を育むことが、この社会を生きていく上で大切だという気がしてならない。

「自分を愛する」「自分を大切にする」ことが、身体と心の両面で実際に満たされてくると、私たち女性は、自分を大切にしない何かを断ち切ることができる。

　自分を大切にしないなら、いらない。
　そんな強さ、潔さが、女性を守るのだ。

☑️　自分の身体をケアしよう。
　　身体をケアすることは、心をケアすることにつながる。

信じる力は人を強くする

　女友達4人と、スペイン巡礼の旅をしたことがある。

　これは「スペイン版お遍路」。使徒ヤコブの遺骸が祀られたサンティアゴ大聖堂のあるサンティアゴ・デ・コンポステーラという街をゴールとした巡礼の道を、ひたすら歩く。

　全長800キロの道を30日以上かけて歩くのがメインコースだが、私たちはゴールから遡って120キロの地点から、5日間かけて歩いた。

　1000年以上前から、キリスト教徒はもちろん、信仰する宗教にかかわらず世界中の人を惹きつけてきた。

　特に気候の良いシーズンには、大勢の巡礼者で賑わう。

　巡礼者のシンボルであるホタテ貝をあしらった石の道標が立てられているため、道に迷うことはまずないし、数キロごとに巡礼者専用の宿泊施設（アルベルゲ）があり、一泊5ユーロ、10ユーロほどで泊まれるところもある。

　早朝4時過ぎに起きて、簡単な朝食を済ませ、薄暗いうちから歩き始める。

　巡礼では、ひたすら田舎道を歩く。ガリシア地方独特の石を積み

上げた家屋から、家畜たちの糞尿のにおいがする。

　歩き疲れた身体に、淹れたてのコーヒーとスペインオムレツの味がしみ渡る。

　その日の目標とする宿に着くのは17時前後。

　1日30キロも歩けば、足にはマメができるし、身体はクタクタだ。

　それでも巡礼は足腰の強さや速さを競うものではないから、毎日一歩、また一歩と歩みを重ねて、全員でゴールした。

　大聖堂の前で喜びを分かち合ったときの達成感と感動は、今でも思い出すだけで胸がいっぱいになる。

　出発直後の私たちは、元気さも手伝って、おしゃべりしながら歩いた。

　けれども日が経つにつれ、自然とそれぞれが、自分のペースで歩くようになった。

　ただ黙々と歩き続けた。

　ゴール後にひとりの友人に訊いてみると、次第にここが聖なる道なのだと実感が湧いてきて、ただ祈りながら歩いたのだと言う。

　この1000年間、ごく最近を除けば、快適な巡礼ではなかったはずだ。

　全長800キロの道を歩く原動力。それは信じる力であり、祈りの力なのだと思う。

私たちの生活に「信仰」は欠かせない。

世界中を見渡せば、信仰する宗教を持つ人が多数を占める。

国民の半分以上が無宗教とされる日本でも、家族で初詣に出かけ、家を建てるときには神職が地鎮祭を行う。経営者は会社にしつらえた神棚に祈り、受験シーズンになれば学生達が合格祈願をする。

祈りを特別なイベントにせず、日々の生活の中でも行ってみよう。

毎朝、あるいは寝る前、手を合わせてご先祖様に感謝するだけでもいい。

「信じること」は私たちを強くしてくれる。

☑ 1日のどこかで、手を合わせて祈ってみよう。
健康への感謝や、ご先祖様への感謝など、信じる力を活用しよう。

181

「ソウルメイト」との出会い

「漁師ピアニスト」と称される、徳永さんという男性がいる。

彼は 52 歳で運命の出会いを果たした。

“魂のピアニスト”フジコ・ヘミング氏がテレビで難曲「ラ・カンパネラ」を弾くのを観て、魂を貫くような衝撃を受け、「自分もこの曲を弾きたい」と思い立ったのだ。

音大卒でピアノ教師の妻が、「ピアニストでも難しい曲」と猛反対するのを押し切り、それまでパチンコに費やしていた時間だけでなく、漁以外のすべての時間を、曲の練習に費やしたという。

フジコ・ヘミング氏とテレビ番組で共演したことをきっかけに、還暦を迎えた徳永さんは彼女のコンサートで演奏を披露。長年の夢が実現した。

私にも、運命の出会いがある。

その出会いは、20 歳のとき。内閣府（当時は総務省）主催の『世界青年の船』という国際交流事業に参加したときだ。

この事業では、海外と日本を合わせて 10 カ国以上、18 歳から 30 歳までの青年達が「にっぽん丸」という客船に集まり、1 ヶ月以上、船内で文化交流やディスカッション、寄港地で様々な活動を

するが、彼はメキシコからの参加者だった。

　彼の名はファウスト。メキシコ人とアイルランド人のハーフで、母は芸術家、本人も旅や歌を愛する知的な青年だった。

　身体が大きく、明るい縮れ毛を腰まで伸ばしたファウストと私は、容姿も性別も国籍も背景も、何もかも違う。それなのに、ファウストとはすぐに意気投合した。
　船内に閉じこもった生活では話題も尽きそうなものだが、彼だけは違った。カフェテリアで、デッキで、ときには船内の薄暗い廊下で、何時間も話し込んだのを覚えている。
　どんな話題でも、スラスラと英語が出てくることに自分でも驚いた。

　ファウストとは決して男女の仲ではなく、魂でつながる友人という関係。
　後に「ソウルメイト」という言葉を知るのだが、まさにそんな感じだった。

　彼が母国に帰るタイミングで縁は切れてしまったが、ファウストと外国語で様々なコミュニケーションが取れたことは私の自信になり、翌年オランダへ留学するきっかけとなった。
　その留学先での経験は、私の生き方や働き方に多大な影響を与えることになる。

誰かの生き様や作品に触れるとき、私たちは文字通り"魂"を感じる。

　気迫、情熱、信念、そして艱難辛苦(かんなんしんく)の半生──。

　誰かの魂は、誰かの魂を感化する。
　こうやって影響を与え合いながら、私たちは生きているのだ。

☑ あなたにとっての運命の出会いは誰だろう。
　　魂を揺さぶるような感動や経験を与えてくれた人のこと
　　を思い出してみよう。

思わぬ人が開けてくれた扉

　私が小学生の頃のこと。同じクラスの女の子と下校途中、目の前から外国人の、それもきれいな褐色の肌をした黒人男性が、ものすごいスピードで私たちのすぐそばを自転車で走り抜けていった。

　今でこそ地元で外国人を見かけることは珍しくないが、30年前となると話は別だ。さらに驚いたことに、その男性は再び自転車で戻ってきて、私たちに声をかけてきたのだ！

　普通なら怖がってもおかしくない場面だが、偶然にも一緒にいた友達は帰国子女。慣れた感じで彼の言葉を翻訳してくれた。
　友達によると、この後時間がないかと私たちに訊いているという。何でも、近くのファミリーレストランで英語を教えてくれるというのだ！
　黒人男性はアメリカ人で、世界中をバックパッカーとして旅をしながら、立ち寄った国の英語学校で短期アルバイトをしているとのことだった。

　今考えてみてもおかしな選択だと思うが、私たちは逃げ出すことなく、首を縦に振ったのだった。

185

彼の名前をどうしても思い出せないため、「ボブ」と呼ぶことにする。

　外国人と少女2人という不審な組み合わせで、近くのファミリーレストランへ。レッスンが終わると、また何日の何時にこの場所でと約束を交わし、奇妙な英語のレッスンは続いた。
　友達は飽きてしまいすぐに来なくなったが、約束してしまった責任と、外国への興味もあって、ボブと私の勉強はしばらく続くことになった。

　ある日、なぜわざわざ引き返してきて声をかけたのか、と思い切って尋ねてみたことがある。彼の答えは「この子たちに英語を教えたいと思った」というもので、私を安心させるように、「もちろん他意はない」とつけ加えた。

　当時は子どもだったし、決して怖くないわけではなかったが、ファミレスというオープンな場という安心感と、「やった方がいい」という直感があった。
　英語の勉強は楽しかった。正解するたびに褒めてもらい、英語が好きになったのだ。

　ボブと最後に会ったのはいつだったか、覚えていない。当時は携帯もなく、子どもの私には連絡する手段も思いつかず、縁は自然と切れてしまった。「ボブは旅に出たのだろう」と思ったら、納得し

た。

　今は 50 代半ばであろうボブを、懐かしく思い出す。世界のどこ
かで元気であってほしい。

　私とはまったく違う目の色。正答するたびに、大きな声で褒めて
くれた笑い声と、口元にのぞく真っ白な歯。授業が終わるたびに握
手をしてくれた、がっしりとした手の感触。

　英語から広がった、大きな世界の可能性。驚きと冒険に満ちた、
小学生だった私の時間。ボブが開けてくれた私の可能性の扉。

　ボブもまた、今の私を形作ってくれた大切な恩人のひとりだ。

　☑ これまでの人生を振り返ってみて、転機となった人物はい
　　ないだろうか？
　　彼らに思いを巡らせ、感謝の気持ちを送ろう。

自分を許すということ

　私たちは自立していたい、誰にも自分の領域を冒されたくないという欲求がある一方で、誰かと深くつながりたいという欲求も持っている。

　深く誰かとつながる経験は、何にも変えがたい喜びだ。

　もう10年ほどお世話になっているメンターがいる。
　独立を目指して、様々なセミナーや講演会に足を運んだ会社員時代に出会った人だ。
　それまで、彼のことはよく知らなかったのだが、友人に誘われるがまま訪れたその人の講演会で、直感した。
　壇上に上がる男性を見た瞬間、「私が探していたのはこの人だ」と思ったのだ。
　この人をメンターにすると決め、それから何度も会いに行き、出版されているあらゆる本を読み、次第にプライベートの悩みまで相談するようになった。

　独立後も彼の家族も含めて交流が続いたのだが、私には少しずつ不満が募るようになった。
　彼に不完全な部分を見つけると、ガッカリした。

189

私にとって耳の痛いことを指摘されると、反発心が湧いた。

　そしてある日、彼にメールで直接不満をぶつけたのだった。

　メールを送信した直後の私は、せいせいした気分だった。

　でも、次第にこれでよかったのかと不安になった。

　落ち着かない気持ちで過ごしていたら、送信して10分後、メンターから返事がきた。

　予想以上に早いレスポンスに戸惑いつつ、おそるおそる開封。

　読み進めていくうちに、涙があふれ出してきた。

　面倒くさい私の感情への非難が書かれているだろうと覚悟したが、そうではなかった。

　私への反論や言い訳など一切なく、ただ優しい言葉が並んでいたのだ。

　私が傷ついてきたこと、悲しかったことへの、心からの労りがそこにはあった。

　私は号泣した。さっきまでの怒りと不安は、すっかり消えていた。

　ただ、私はわかってほしかったのだ。

　その心をまるごと受けとめてもらえたことへの驚きと感動を、ただ感じた。

　誰だって完璧ではない。

　傷ついていた私も、未熟な私も、そのまま抱擁してくれたメンターも、完璧ではあり得ない。誰の中にも白もあれば黒もあるし、グレーも存在する。

　あなただって完璧ではない。

　頭の中で思い描く人間性や、暮らし、社会的立場、「完璧な自分像」。それとはかけ離れた自分を、惨めで悲しく感じる日もあるかもしれない。

　そのとき、救いになるのは、「許し」だ。
　この一連の出来事の中で、私の理解が一歩前に進んだ。
　許すということ。
　私は、未熟で未完成な、過去の自分と今の自分を許す。
　そして、自分と同じように完璧ではない誰かを許す。

　許しが深まれば深まるほど、あなたの心の枷(かせ)は外れ、より自由になれる。
　自由になったあなたは、何をするだろうか。

　☑　完璧ではない自分を許そう。
　　　過去の自分や今の自分、誰かの「許せないこと」を書き出して、ひとつひとつ手放していこう。

「最後の練習」〜あなたに一番伝えたいこと

　ここまで読んでくれたあなたに、私が一番伝えたいことをここに記す。
　「最後の練習」として、あと少しだけおつきあいいただきたい。

　私が SNS をやめ、当時の人間関係や仕事、社会的立場と呼ぶべきものから離れたきっかけは、「はじめに」で書いた 3 つの理由が大きい。
　しかし後に、自分と向き合う時間がほしかったのだと気がつくことになる。

　私は SNS が本当に好きだった。
　掛け値なく、見知らぬ人とつながれることに喜びを感じていた。
　思いがけないチャンスが舞い込んでくることに興奮した。
　自分を表現する場があることに毎日のように感謝していた。

　そのはずが、見知らぬ人からのフォロー、注目されることが負担になっていった。
　毎日のように送られてくる「人生相談」や「助けを求める声」から目を背けた。
　揚げ足を取られることを怖れ、のびのびとした本来の自分の在り

方を見失った。

　そうして、「こんなはずじゃなかったのに」と感じる時間が増えていく。

　最初のうちに感じていたはずの喜びや興奮、感謝は、様々な出来事や人との関わりの中で、少しずつ暗い感情へと変わっていき、私が見える世界を巣食った。

　だから一度、その世界から退避することになる。

　世界は「合わせ鏡」のようなもの。

　SNSや人間関係などを通して見える世界は、心の状態をそのまま映し出す。

　あなたの中にある自分について認めたくない部分や心の"地雷"、まだ許せていない部分がそのまま跳ね返ってくる。

　つまり、つながりが増えれば増えるほど、鏡の枚数は増えていくのだ。

　なぜ、これほどまでにSNSや人間関係が苦しいのかといえば、鏡の枚数が増えれば増えるほど、自分の中にある様々なものが映し出されるからに他ならない。

　SNSをたとえやめたとしても、他者とのつながりがある限り、いや、私たちが自分自身とつながっている限り、気に入らないことや苦しみ、悩みの種は消えない。

つながりを断つことは、対処療法でしかないのだ。

一時は逃げてもいい、かつての私のように。

でも、もしあなたがSNSを手放したとしても、メディアはあなたに情報を伝え続ける。

誰かと距離を置いたとしても、新たな人があなたの目の前に現れるだろう、人間関係は決してなくなることはないのだから。

この世に数多ある常識に囚われていれば、あなたの世界は制限され続ける。

あなたがネガティブに反応するたび、喜びや充足感を感じる心のセンサー錆びついていく。

本書では、一貫して私はあなたの味方というスタンスで、あなたが今抱えている苦しみや悩みに寄り添い、あなたという存在そのものを肯定してきた。

けれども、あなた自身とあなたの心が変わらない限り、世界は変わらない。

あなたの考え方や人の言葉の受け止め方、出来事への意味づけ、得る情報を見直し、変容することを選択してはじめて、鏡に映し出される世界は変わっていくからだ。

私にとって、約750日間に及ぶSNSや情報、人と「つながらない時間」は、自分と静かに向き合い、心を落ち着ける機会になっただけではない。

"私を許す"旅となった。

　過去の自分の行いや未熟さ、愛を適切に表現できなかった自分を許した。
　恥ずかしさや自己嫌悪という苦しい感情からも逃げず、とことん向き合った。
　そうして自分の心の中にある"地雷"をひとつずつ撤去していくうちに、次第に自分のことが手放しで大好きだと思えるようになった。
　私の中にある大きな愛。それはどんなときもちゃんとあって、私は私なりの形で、人や社会に愛を送っていたのだと気づいたときには、号泣した。

　自分で自分のことを素晴らしい存在だと心底思えたとき、どんなふうに世界が見えるようになるか。ぜひ、想像してもらいたい。

　完璧で理想的な「桃源郷」は、どこかにあるのではない。
　未来によくなろうとしないこと。
　素晴らしい世界を、今ここに、自分自身の心でつくろう。

おわりに

　2020年春、世界的に感染症が蔓延し、日本で初めて緊急事態宣言が発令された頃、実家で飼っている黒猫の「ドラ」とキジトラの「ミミ」、2匹の猫に次々と病気が見つかった。

　懸命な看病もむなしく、5月、立て続けに彼らが天国へと旅立った。

　そして半年後、後を追うようにして老猫「ナナ」も安らかな眠りについた。

　猫達が天国へ旅立つ日、不思議な出来事が起きた。

　ドラが亡くなった日の午後、なきがらを抱えた母が自宅の玄関のドアを開けた瞬間に、目の前に黒い大きな蝶がひらひらと飛んできたのだ。

　ドラは身体の大きな猫だった。

　珍しい蝶ではないが、春の時期に見かけるのは初めてだと母は話す。

　ミミが危篤になったときも同じだった。

　もう長くはないだろうという頃、家には私だけがいた。看病疲れもあって、横たわるミミの隣でうたた寝をしていたら、「ニャア」という鳴き声が聞こえてハッと目が覚めた。

起きたことに信じられずにいたら、再び「ニャア」という鳴き声が部屋に響いた。

　急いで隣を見ると、息も絶え絶えのミミがそこにいた。鳴き声のおかげで最期を見届けることができた。

　命と向き合ったこの時期、多くの会社ではテレワークが導入され、これを機に転職する人、地方に移住する人も増えた。行動は起こさなくても、精神的に何かが変わったという人も多い。

　この本の構想は数年前からあったが、彼らを看取った後、きちんと形にしようと思い立った。

　それまでにSNSをやめ、様々なつながりを減らしていた自分にとって、この数ヶ月は、「何とつながりたいのか」を考える時間になったからだ。

　本書を読み終えたあなたが、自分を最大限に大切にするために「つながらない」選択ができることを祈る。

　何より、あなたが本当に愛するものとつながることを、著者として切に願う。

　この本の企画段階から様々なアイデアを出し、見事な編集力で素晴らしい本に仕上げてくださったPHP研究所の大隅元副編集長、思わず手に取り部屋に飾りたくなるような装丁をデザインしてくれたエントツの喜來詩織さん、眺めるだけで幸せな気持ちになるイラ

ストで本書を彩ってくれた STOMACHACHE. の宮崎信恵さん、宮崎知恵さんに、心からの御礼を申し上げる。

最後に、愛猫しーたんと、天国にいる3匹のドラ、ミミ、ナナへ。
あなたたちとのつながりが、本書を書く原動力になった。
ありがとう。

2021年6月吉日

初夏の東京にて　安藤美冬

安藤美冬（あんどう・みふゆ）

作家、コメンテーター。旅と仕事と学びのオンラインサロン『Meetup Lounge』オーナー、有料書評チャンネル『miffyのBook Journey』ブックプレゼンター、InterFM897 番組審議委員、日本メンズファッション協会 ベストデビュタントオブザイヤー選考委員。1980年生まれ、東京育ち。著書累計19万部、新しいフリーランス・起業の形をつくった働き方のパイオニア。慶應義塾大学在学中にオランダ・アムステルダム大学に交換留学を経験。ワークシェアに代表される、働き方の最先端をいく現地で大きな影響を受ける。新卒で(株)集英社に入社、7年目に独立。本やコラムの執筆をしながら、パソコンとスマートフォンひとつでどこでも働ける自由なノマドワークスタイルを実践中。KLMオランダ航空、SK-II、インテル、アクエリアスなど様々な企業の広告にも出演、働く女性のアイコン的存在である。「情熱大陸」「NHKスペシャル」出演、「Mr.サンデー」「あさチャン！」コメンテーターを務めるなどメディア出演多数。最新刊に『売れる個人のつくり方』(clover出版)、『新しい世界へ』(光文社)がある。

公式ブログ:https://ameblo.jp/miffy-andomifuyu/
無料メルマガ(まぐまぐ):https://www.mag2.com/m/0001692344

有料ブックレビューチャンネル
『miffyのBook Journey』(音声配信)
https://jp.himalaya.com/
miffynobookjourney

旅と仕事と学びのオンラインサロン
『Meetup Lounge』
https://community.camp-fire.jp/
projects/view/375999

つながらない練習

2021年8月31日 第1版第1刷発行

著者	安藤美冬
発行者	後藤淳一
発行所	株式会社PHP研究所
	東京本部　〒135-8137 江東区豊洲5-6-52
	第二制作部　☎03-3520-9619(編集)
	普及部　☎03-3520-9630(販売)
	京都本部　〒601-8411 京都市南区西九条北ノ内町11
	PHP INTERFACE https ://www.php.co.jp/
組版	PHPエディターズ・グループ
印刷所	大日本印刷株式会社
製本所	株式会社大進堂